中華國學經典百部

精華本

声律启蒙
笠翁对韵

〔清〕车万育 〔清〕李渔 著

焦亮 译

中国书店

图书在版编目（CIP）数据

声律启蒙；笠翁对韵 /（清）车万育，（清）李渔著；焦亮译 . —北京：中国书店，2023.10
（中华国学经典百部：精华本）
ISBN 978-7-5149-2963-8

Ⅰ . ①声… ②笠… Ⅱ . ①车… ②李… ③焦… Ⅲ . ①诗词格律–中国–启蒙读物②《声律启蒙》–译文③《笠翁对韵》–译文 Ⅳ . ① I207.21

中国版本图书馆 CIP 数据核字（2022）第 075462 号

声律启蒙 笠翁对韵

〔清〕车万育 〔清〕李渔 著 焦亮 译

责任编辑：卢玉珊

出版发行：中国书店
地 址：北京市西城区琉璃厂东街 115 号
邮 编：100050
电 话：（010）63171753（总编室）
（010）63017857（发行部）
印 刷：三河市嘉科万达彩色印刷有限公司
开 本：787mm × 1092mm 1/32
版 次：2023 年 10 月第 1 版第 1 次印刷
字 数：80 千
印 张：6（全 300）
书 号：ISBN 978-7-5149-2963-8
定 价：1490.00 元（全 50 册）

前言

一本小书，能风行几百年，到现在还拥有众多读者，自然有它独特的地方。现代著名诗人流沙河就曾这样形容它:“这真是一本奇书，低吟缓诵之际，但觉音韵铿锵，辞藻华丽，妙不可言。”

这就是《声律启蒙》与《笠翁对韵》的妙处。

中国传统教育很重视儿童启蒙阶段的阅读训练。古时，儿童在私塾时开始培养其诗词修养，接受声调、音律、格律等方面的训练。《声律启蒙》和《笠翁对韵》节奏响亮、声调和谐、韵律优美，用语简练易懂，对儿童形成良好的语感有很大的作用，自然是启蒙读物的最佳选择。

《声律启蒙》和《笠翁对韵》都分上下两卷，按韵编排，每个韵部编成若干段押韵的文字，从单字对到双字对、三字对、五字对、七字对、十一字对，对仗工整，声韵协调，读起来朗朗上口。例如，“云对雨，雪对风，晚照对晴空。来鸿对去燕，宿鸟对鸣虫。三尺剑，六钧弓，岭北对江东。人间清暑殿，天上广寒宫。两岸晓烟杨柳绿，一园春雨杏花红。两鬓风霜，途次早行之客；一蓑烟雨，溪边晚钓之翁”。

《声律启蒙》和《笠翁对韵》之中还包含天文、地理、花木、鸟兽、人物、器物等知识，实现了知识性与实用性的高度统一，让孩子们在学习诗词技巧的同时，还能广泛涉猎，从而得到中华传统文化的有益熏陶。例如，“三尺剑”告诉了我们汉高祖刘邦提着三尺长的宝剑夺取天下的壮举。

《声律启蒙》和《笠翁对韵》的内容多以现实生活中的常见事物、现象、人物作为例子，既便于孩子们理解，又能够陶冶情操。例如，“寒冰三尺厚，秋月十分明”“渚莲千朵白，岸柳两行青”，等等。它深入浅出、潜移默化地教导孩子们学习吟诗作对。

《红楼梦》里，林黛玉叫香菱写一首咏月的律诗，指定用“寒”韵，香菱正在挖空心思的时候，探春隔窗笑说道:“菱姑娘，你闲闲吧。”香菱怔怔答道:“闲字是十五删的，错了韵了。”这里说的“十五删”正是《声律启蒙》中的一节，也是写诗填词所必须遵守的声律之道。

了解声律韵部，《声律启蒙》与《笠翁对韵》自然不可回避。可以说，它们是包罗万象的百科全书，在启蒙读物中独具一格，经久不衰。

目录

声律启蒙

笠翁对韵

声律启蒙

〔清〕车万育

原序

自骈偶之体兴，而著述家多捃摭故实，俪白妃黄，以为能事，若《编珠》《岁华》《丽记》之类，洵为征引宏博，穷讨四库矣！邵阳车鹤田太史，尝取对偶，自一二字以至十余字，叶以上下平三十韵。所用故实，多取习见，且详为评注，凡二卷，命曰《声律启蒙撮要》。余偶得写本，见其切近，易于记诵，思付手民，遍授童蒙。且今功令，凡小大试，以及考课馆阁，莫不以声律为殿最。是书也，非仅为幼学切要之图，且可俾操觚之士，即此习见故实进而求之，因以穷讨四库，备极宏博，用谐声律，以鸣当代之盛，岂不休哉！则即以是书为《编珠》《岁华》《丽记》之羽翼，殆无不可。书成，弁数语于其端。蒋允焄识于郡署存朴斋。

上卷

一东

云对雨，雪对风，晚照对晴空。来鸿对去燕，宿鸟对鸣虫。三尺剑[①]，六钧弓[②]，岭北对江东。人间清暑殿[③]，天上广寒宫[④]。两岸晓烟杨柳绿，一园春雨杏花红。两鬓风霜，途次早行之客；一蓑[⑤]烟雨，溪边晚钓之翁。

沿对革，异对同，白叟对黄童[⑥]。江风对海雾，牧子对渔翁。颜巷陋[⑦]，阮途穷[⑧]，冀北对辽东。池中濯足[⑨]水，门外打头风[⑩]。梁帝讲经同泰寺[⑪]，汉皇置酒未央宫[⑫]。尘虑萦心，懒抚七弦绿绮[⑬]；霜华满鬓，羞看百炼青铜[⑭]。

贫对富，塞对通，野叟对溪童。鬓皤[⑮]对眉绿，齿皓对唇红。天浩浩，日融融。佩剑对弯弓。半溪流水绿，千树落花红。野渡燕穿杨柳雨，芳池鱼戏芰[⑯]荷风。女子眉纤，额下现一弯新月；男儿气壮，胸中吐万丈长虹。

【注释】

①三尺剑：汉高祖刘邦以三尺长的宝剑打天下。

②六钧弓：春秋鲁国勇士颜高的弓重六钧。钧，古代重量单位，三十斤为一钧。

③清暑殿：洛阳的一座宫殿名。

④广寒宫：月中仙宫名。

⑤蓑：用草或者棕毛编织的雨具。

⑥白叟：白发老人。黄童：儿童，幼童头发色黄，故称。唐韩愈诗曰："黄童白叟，踊跃欢呼。"

⑦颜巷陋：孔子弟子颜回住在简陋的巷子里，依然达观。

⑧阮途穷：晋代阮籍好酒，经常独自驾着牛车，边行边喝，没有路了便痛哭而返。

⑨濯足：《孺子歌》："沧浪之水清兮，可以濯我缨，沧浪之水浊兮，可以濯我足。"濯，洗涤。

⑩打头风：即顶头风。

⑪同泰寺：梁武帝常与高僧在此讲经，传有天雨宝花而下。

⑫未央宫：西汉宫殿名。汉高祖刘邦平定天下，在此大宴群臣。

⑬绿绮：古琴名。

⑭青铜：镜子，以青铜铸造而成，故称。

⑮皤（pó）：白色。

⑯芰（jì）：古书上指菱。

二冬

春对夏，秋对冬，暮鼓对晨钟。观山对玩水，绿竹对苍松。冯妇虎[①]，叶公龙[②]，舞蝶对鸣蛩[③]。衔泥双紫燕，课蜜几黄蜂。春日园中莺恰恰[④]，秋天塞外雁雍雍[⑤]。秦岭云横，迢递[⑥]八千远路；巫山雨洗，嵯峨[⑦]十二危峰。

明对暗，淡对浓，上智对中庸[⑧]。镜奁对衣笥[⑨]，野杵对村舂。花灼烁，草蒙茸[⑩]，九夏对三冬[⑪]。台高名戏马[⑫]，斋小号蟠龙[⑬]。手擘蟹螯从毕卓[⑭]，身披鹤氅自王恭[⑮]。五老峰高，秀插云霄如玉笔；三姑石大，响传风雨若金镛。

仁对义，让对恭，禹舜对羲农。雪花对云叶，芍药对芙蓉。陈后主，汉中宗，绣虎对雕龙[⑯]。柳塘风淡淡，花圃月浓浓。春日正宜朝看蝶，秋风那更夜闻蛩。战士邀功，必借干戈成勇武；逸民[⑰]适志，须凭诗酒养疏慵[⑱]。

【注释】

①冯妇虎：晋国人冯妇善于和老虎搏斗，后来不再打虎，成为有修养的人。有一次在野外，见许多人追赶一只老虎。他又下车打虎，遭到士人取笑。后用“冯妇”形容重操旧业的人。

②叶公龙：叶公子高喜欢龙，屋子里到处都画着龙，天上的龙听说后就来到他家，叶公却吓得惊魂失魄。后用“叶公”形容表面上爱好，实际上并不真正爱好的人。

③蛩（qióng）：蟋蟀。

④恰恰：黄莺的叫声。

⑤雍雍：大雁的叫声。

⑥迢递：遥远。

⑦嵯峨：形容山高。

⑧上智：智力特出的人。中庸：中等才智的人。

⑨镜奁（lián）：古代妇女梳妆用的镜匣。衣笥（sì）：盛衣物的方形竹器。

⑩蒙茸：蓬松、杂乱的样子。

⑪九夏：夏季共三个月九十天，故称。三冬：指孟冬（农历十月）、仲冬（农历十一月）、季冬（农历十二月）三个月。

⑫戏马：又名掠马台，项羽曾在此驰马取乐。在今江苏铜山区南。

⑬蟠龙：东晋大将桓温之子桓玄，所居斋室画有龙的图案，人称蟠龙斋。

⑭手擘蟹螯从毕卓：东晋毕卓嗜酒，他曾说，左手掰着蟹螯，右手拿着酒杯，足为一生之乐。

⑮身披鹤氅自王恭：东晋王恭披着鹤氅在雪中行走。

⑯绣虎：三国时的曹植七步成章，才思横溢，号为“绣虎”。雕龙：南朝梁刘勰著有《文心雕龙》一书。

⑰逸民：指避世隐居的人。

⑱疏慵：疏懒适意。

三江

楼对阁，户对窗，巨海对长江。蓉裳对蕙帐[1]，玉斝对银釭[2]。青布幔，碧油幢[3]，宝剑对金缸。忠心安社稷[4]，利口覆家邦。世祖中兴延马武[5]，桀王失道杀龙逄[6]。秋雨潇潇，漫烂黄花都满径；春风袅袅，扶疏绿竹正盈窗。

旌对旆[7]，盖对幢，故国对他邦。千山对万水，九泽对三江。山岌岌[8]，水淙淙，鼓振对钟撞。清风生酒舍，皓月照书窗。阵上倒戈辛纣战[9]，道旁系剑子婴降[10]。夏日池塘，出没浴波鸥对对；春风帘幕，往来营垒燕双双。

铢[11]对两，只对双，华岳对湘江。朝车对禁鼓[12]，宿火对寒缸。青琐闼[13]，碧纱窗，汉社对周邦。笙箫鸣细细，钟鼓响摐摐[14]。主簿栖鸾名有览[15]，治中展骥姓惟庞[16]。苏武牧羊，雪屡餐于北海[17]；庄周活鲋，水必决于西江[18]。

【注释】

①蓉裳：装饰有芙蓉的衣裳，即华丽的衣裳。蕙帐：以蕙兰为装饰的居室。蕙，香草。

②斝（jiǎ）：玉制的酒器，圆口，三足。银釭：银质的灯具。

③碧油幢（chuáng）：青绿色的油布帷幕。

④社稷：指国家。

⑤延：请。马武：东汉开国名将。刘秀在一次宴会之后请马武为将，马武感念知遇之恩，战功卓著。刘秀称帝后，封马武为云台二十八将之一。

⑥龙逄：即关龙逄，夏桀时任大夫。相传他直谏敢言，最终被害。

⑦旆：古代末端形状像燕尾的旗。

⑧岌岌：形容山势险峻。

⑨阵上倒戈辛纣战：周武王伐纣，在牧野之战中，商纣的军队哗变，纣王兵败自焚而死。

⑩道旁系剑子婴降：刘邦率军逼近咸阳时，秦王子婴素车白马，系剑于路旁，出城投降。

⑪铢：古代重量单位。二十四铢为一两。

⑫朝车：古时朝廷所用之车。禁鼓：古时宫禁用以报时之鼓。

⑬青琐：刻有青色连环花纹的宫门。闼：宫门。

⑭摐（chuāng）：敲击钟鼓的声音。

⑮主簿栖鸾名有览：东汉仇览做蒲县主簿时，以德感化民风，时任考城令的王涣评价他说：荆棘之地不是鸾鸟凤凰栖身之处。

⑯治中展骥姓惟庞：三国庞统做耒阳县令时，不能胜任。鲁肃向刘备推荐说：庞统不是治理小县的人才，而是治理州的人才，只有这样才能施展他千里马的才能。骥，千里马。

⑰苏武牧羊，雪屡餐于北海：西汉苏武出使匈奴，被扣留，到北海牧羊。他饿了吃毡毛，渴了就喝雪水，羁留匈奴十九年而不屈服。

⑱庄周活鲋，水必决于西江：车辙中有一条鲋鱼向庄子求救，庄子慨然答应，因为他正要到吴越去，到了以后就引西江之水来救这条鱼。

四支

茶对酒，赋对诗。燕子对莺儿。栽花对种竹，落絮对游丝。四目颉[①]，一足夔[②]，鸲鹆[③]对鹭鸶。半池红菡萏[④]，一架白荼蘼[⑤]。几阵秋风能应候，一犁春雨甚知时。智伯恩深，国士吞变形之炭[⑥]；羊公德大，邑人竖堕泪之碑[⑦]。

行对止，速对迟。舞剑对围棋。花笺对草字，竹简对毛锥。汾水鼎[⑧]，岘山碑。虎豹对熊罴。花开红锦绣，水漾碧琉璃。去妇因探邻舍枣[⑨]，出妻为种后园葵[⑩]。笛韵和谐，仙管恰从云里降；橹声咿轧，渔舟正向雪中移。

戈对甲，鼓对旗。紫燕对黄鹂。梅酸对李苦，青眼对白眉[⑪]。三弄笛，一围棋。雨打对风吹。海棠春睡早，杨柳昼眠迟。张骏曾为槐树赋[⑫]，杜陵不作海棠诗[⑬]。晋士特奇，可比一斑之豹[⑭]；唐儒博识，堪为五总之龟[⑮]。

【注释】

①四目颉：即上古的仓颉。传说他生而神圣，有四只眼睛，发明了文字。

②夔（kuí）：一种说法认为夔是一只脚的怪兽；一种说法认为夔是尧舜时期掌管音乐的大臣。

③鸲鹆（qú yù）：即八哥鸟。

④菡萏：即荷花。

⑤荼蘼：落叶小灌木，花白色，有香气。

⑥智伯恩深，国士吞变形之炭：春秋战国时期，赵襄子联合韩魏两家灭掉智伯，曾受到智伯礼遇的豫让听说后，决定为智伯报仇。于是他漆身吞炭，改变自己的形貌和声音，刺杀赵襄子。

⑦羊公德大，邑人竖堕泪之碑：晋朝的羊祜镇守荆州时，很得民心。死后葬在岘山，百姓见到他的墓碑没有不掉泪，后人称此碑为堕泪碑。

⑧汾水鼎：汉武帝在汾水得到一宝鼎，于是改年号为“元鼎”。

⑨去妇因探邻舍枣：西汉王吉的邻居家种有枣树，枣树垂挂到王吉的院子里，他的妻子摘了几颗枣吃。王吉知道后，就要休妻，后经邻居调解才作罢。

⑩出妻为种后园葵：春秋时在鲁国为相的公仪休，有一天在家吃到葵菜，味道鲜美，又见妻子在织布。他认为这是抢夺菜农和织女的利益，于是拔去院子里的葵菜，并休妻出门。

⑪青眼：晋朝阮籍能为青白眼，只有好友嵇康来了，才用青眼相看，其他人都以白眼相看。白眉：三国时马良，眉有白毛，弟兄五人都有才名。当时民谚说，马氏五常，白眉最良。

⑫张骏曾为槐树赋：西晋的张骏在凉州做官时，移植柳树到凉州，一棵也没有成活，只有酒泉宫西北生有几棵槐树，于是作《槐树赋》。

⑬杜陵不作海棠诗：杜甫因为母亲名海棠，所以不作海棠诗。

⑭晋士特奇，可比一斑之豹：晋朝王羲之的儿子王献之，小时看人下棋，棋局开始便知胜负。他父亲的门人称赞他是：管中窥豹，时见一斑。

⑮唐儒博识，堪为五总之龟：唐朝的殷践猷博通经籍，无所不知，被贺知章称为五总龟。五总龟，龟每二百岁生出二尾称一总，至千岁生出五总称一聚，五总之龟，问无所不知。

五微

来对往，密对稀。燕舞对莺飞。风清对月朗，露重对烟微。霜菊瘦，雨梅肥。客路对渔矶[①]。晚霞舒锦绣，朝露缀珠玑。夏暑客思欹石枕，秋寒妇念寄边衣。春水才深，青草岸边渔父去；夕阳半落，绿莎原上牧童归。

宽对猛，是对非。服美对乘肥[②]。珊瑚对玳瑁，锦绣对珠玑。桃灼灼[③]，柳依依。绿暗对红稀。窗前莺并语，帘外燕双飞。汉致太平三尺剑，周臻大定一戎衣[④]。吟成赏月之诗，只愁月堕；斟满送春之酒，惟憾春归。

声对色，饱对饥。虎节对龙旗[⑤]。杨花对桂叶，白简对朱衣。龙[⑥]也吠，燕于飞[⑦]。荡荡对巍巍。春暄[⑧]资日气，秋冷借霜威。出使振威冯奉世[⑨]，治民异等尹翁归[⑩]。燕我弟兄，载咏棣棠韡韡[⑪]；命伊将帅，为歌杨柳依依[⑫]。

【注释】

①渔矶：可供垂钓的水边岩石。

②乘肥：肥壮的马。

③灼灼：形容花开得茂盛。

④周臻大定一戎衣：《尚书·武成》：“一戎衣，天下大定。”臻，达到。

⑤虎节：即兵符，古代皇帝调兵遣将用的兵符，做成伏虎形状，一分为二，用时两半合并以验真假。龙旗：画有龙图纹的旗帜，古代帝王专用。

⑥尨（máng）：一种多毛的狗。

⑦燕于飞：《诗经》：“燕燕于飞，差池其羽。”燕子双飞，比喻女子出嫁。

⑧暄：温暖。

⑨出使振威冯奉世：西汉冯奉世曾持节出使西域，攻占莎车，功勋卓著，封为关内侯。

⑩治民异等尹翁归：西汉尹翁归在东海、扶风微观，他治民有方，赏善刑奸，除盗免税，政绩斐然。

⑪燕我弟兄，载咏棣棠韡韡（wěi wěi）：《诗经》：“常棣之华，鄂不韡韡。”燕，同“宴”。常棣，花名，代指兄弟情谊。韡韡，灿烂的样子。

⑫命伊将帅，为歌杨柳依依：《诗经》：“昔我往矣，杨柳依依。”描写周西征猃狁的诗。

六鱼

无对有，实对虚。作赋对观书。绿窗对朱户，宝马对香车。伯乐马[①]，浩然驴[②]。弋雁对求鱼[③]。分金齐鲍叔[④]，奉璧蔺相如[⑤]。掷地金声孙绰赋[⑥]，回文锦字窦滔书[⑦]。未遇殷宗，胥靡困傅岩之筑[⑧]；既逢周后，太公舍渭水之渔[⑨]。

终对始，疾对徐，短褐对华裾[⑩]。六朝对三国，天禄对石渠[⑪]。千字策，八行书[⑫]。有若对相如[⑬]。花残无戏蝶，藻密有潜鱼。落叶舞风高复下，小荷浮水卷还舒。爱见人长，共服宣尼休假盖[⑭]；恐彰己吝，谁知阮裕竟焚车[⑮]。

麟对凤，鳖对鱼。内史对中书。犁锄对耒耜，畎浍[⑯]对郊墟。犀角带，象牙梳。驷马对安车。青衣能报赦[⑰]，黄耳解传书[⑱]。庭畔有人持短剑[⑲]，门前无客曳长裾[⑳]。波浪拍船，骇舟人之水宿；峰峦绕舍，乐隐者之山居。

【注释】

①伯乐马：伯乐，春秋时秦国人，名孙阳，以善相马著称。

②浩然驴：唐朝诗人孟浩然常常在风雪中骑驴寻梅花，因而诗兴大发。

③弋（yì）雁：用带有绳子的箭射大雁。求鱼：即缘木求鱼。爬到树上去找鱼，比喻方法不对，劳而无功。

④分金齐鲍叔：春秋时，管仲和鲍叔一起经商，每次分利的时候，管仲都因为家里贫困而多分，但鲍叔丝毫不以为意。

⑤奉璧蔺相如：战国时，秦王得知赵国得到和氏璧，表示愿意用十五座城池交换。蔺相如带和氏璧入秦，见秦无诚意，于是据理力争，最终完璧归赵。

⑥掷地金声孙绰赋：晋朝的孙绰作《天台山赋》，友人范荣期读后，称赞说这篇赋掷地当作金石声，铿锵有力。

⑦回文锦字窦滔书：晋朝窦滔宠幸妾，他的妻子苏蕙织锦成《回文旋图诗》八百四十字寄给窦滔，窦滔因此回心转意。

⑧未遇殷宗，胥靡困傅岩之筑：商朝傅说因罪在傅岩筑墙。高宗武丁夜梦天降贤才辅佐天下。他根据梦中的相貌找到了傅说，并立他为相，商朝因此中兴。胥靡，古代服劳役的刑徒。

⑨既逢周后，太公舍渭水之渔：太公即太公望，姜尚，在渭水边垂钓，遇周文王，被立为国师。

⑩短褐对华裾：短褐，古代百姓穿的粗布短衣。华裾，华丽的衣服。裾，衣服的前后襟，此处指衣服。

⑪天禄对石渠：天禄和石渠都是西汉藏书、校书的地方，都在未央宫。

⑫千字策，八行书：千字策，宋朝科举考试用策论，限字一千，故名。八行书，古代信笺每页八行，故以此指代书信。

⑬有若对相如：有若，孔子弟子，鲁人，状似孔子。相如，战国时有蔺相如，东汉时有司马相如。

⑭爱见人长，共服宣尼休假盖：宣尼，即孔子，汉朝时被尊为大成至圣文宣王。有一天下雨，孔子外出，但是车没有盖，有弟子提出子夏有多余的可以借。孔子说，与人交往要长久，就要助长避短。子夏不算富裕，如果子夏不借，就显得他吝啬了，就不要向他借了。

⑮恐彰己吝，谁知阮裕竟焚车：晋朝阮裕有好车，借无不给。有次有人葬母，想和他借却不敢开口。阮裕听说后，就把车子烧掉了。

⑯畎浍（quǎn kuài）：田间的小水沟。墟：村墟。

⑰青衣能报赦：前秦苻坚独自在家起草赦免文告，这时有只苍蝇飞进来，赶走了又飞回来。不久就有人知道要天下大赦，苻坚质问从哪里得来的消息，都说有个青衣人在街上如此高喊。苻坚明白了，原来是先前的苍蝇传播的消息。

⑱黄耳解传书：相传陆机在洛阳时，有一条叫黄耳的狗，能给家里寄信。

⑲庭畔有人持短剑：战国时燕国的太子丹派荆轲以献地图为名刺杀秦王，地图中藏有匕首。后来失败被杀。

⑳门前无客曳长裾：西汉吴王刘濞要谋反，门客邹阳《上吴王书》劝阻，说：“何使臣饰固陋之心，向王之门，而不可曳长裾乎？”

七虞

金对玉，宝对珠。玉兔对金乌[①]。孤舟对短棹，一雁对双凫。横醉眼，捻吟须。李白对杨朱[②]。秋霜多过雁，夜月有啼乌。日暖园林花易赏，雪寒村舍酒难沽。人处岭南，善探巨象口中齿[③]；客居江右，偶夺骊龙颔下珠[④]。

贤对圣，智对愚。傅粉对施朱。名缰对利锁，挈榼[⑤]对提壶。鸠哺子，燕调雏。石帐对郇厨[⑥]。烟轻笼岸柳，风急撼庭梧。鹳眼一方端石砚[⑦]，龙涎三炷博山垆[⑧]。曲沼鱼多，可使渔人结网；平田兔少，漫劳耕者守株[⑨]。

秦对赵，越对吴。钓客对耕夫。箕裘对杖履[⑩]，杞梓对桑榆。天欲晓，日将晡[⑪]。狡兔对妖狐。读书甘刺股[⑫]，煮粥惜焚须[⑬]。韩信武能平四海，左思文足赋三都[⑭]。嘉遁[⑮]幽人，适志竹篱茅舍；胜游公子，玩情柳陌花衢。

【注释】

①玉兔对金乌：玉兔，代指月亮。传说月中有玉兔。金乌：代指太阳，传说太阳里有三足乌。

②杨朱：战国时思想家，其学说重在“为我”。孟子称他“拔一毛而利天下，不为也”。

③善探巨象口中齿：大象牙齿脱落后，仍然十分爱惜，挖坑藏起来。人要盗取象牙，必须制作假的象牙替代，且不能被大象发现。否则，它以后就不会藏在原处。

④骊龙颔下珠：骊龙，即黑龙。传说它颔下有宝珠，只有等它睡熟后才能取得到。

⑤榼（kē）：酒樽。

⑥石帐对郇厨：石帐，西晋石崇巨富，曾经做五十里的锦丝步帐。郇厨，唐朝韦陟封郇公，极其奢侈，他也因此被人称为“郇公厨”，作为饮食精美、奢华的代称。

⑦鹳眼一方端石砚：端州出产的砚台闻名天下，其上有类似鹳鹆（八哥）眼的痕迹。

⑧龙涎三炷博山垆：龙涎，一种名贵的香料。博山垆，即博山炉，香炉的一种，表面雕刻重叠的山形，极为精致。

⑨守株：即守株待兔。

⑩箕裘对杖履：箕裘，《礼记·学记》："良冶之子，必学为裘；良弓之子，必学为箕。"比喻继承父业。杖履，敬老之词。古代五十岁的老人扶杖，另外，古人入室必须脱鞋，而老人可以入室之后再脱鞋。

⑪晡（bū）：下午三时到五时。

⑫读书甘刺股：战国时，苏秦游说秦王失败后，回家发奋，读书至深夜，一旦瞌睡，就用锥子自刺其大腿，使自己保持清醒。

⑬煮粥惜焚须：唐朝李勣的姐姐生病，他为姐姐熬粥，火烧到了胡须。

⑭左思文足赋三都：晋文学家左思用十年时间作《三都赋》，人们争相传抄，一时洛阳纸贵。

⑮嘉遁：合乎正道的退隐。

八齐

岩对岫，涧对溪。远岸对危堤。鹤长对凫短，水雁对山鸡。星拱北，月流西。汉露对汤霓[1]。桃林牛已放[2]，虞坂马长嘶[3]。叔侄去官闻广受[4]，弟兄让国有夷齐[5]。三月春浓，芍药丛中蝴蝶舞；五更天晓，海棠枝上子规啼。

云对雨，水对泥。白璧对玄圭。献瓜对投李，禁鼓对征鼙[6]。徐稚榻[7]，鲁班梯[8]。凤翥对鸾栖[9]，有官清似水，无客醉如泥。截发惟闻陶侃母[10]，断机只有乐羊妻。秋望佳人，目送楼头千里雁；早行远客，梦惊枕上五更鸡。

熊对虎，象对犀。霹雳对虹霓。杜鹃对孔雀，桂岭对梅溪。萧史凤[11]，宋宗鸡[12]。远近对高低。水寒鱼不跃，林茂鸟频栖。杨柳和烟彭泽县[13]，桃花流水武陵溪[14]。公子追欢，闲骤玉骢[15]游绮陌[16]；佳人倦绣，闷欹珊枕[17]掩香闺。

【注释】

①汉露：汉武帝在宫内建承露盘以承接上天降的甘露，以求长生不老。汤霓：夏桀暴虐，成汤征伐夏桀，百姓就像大旱盼望雨后彩虹一样盼望成汤的到来。

②桃林牛已放：武王克商之后，就将战马放归华山之南，放牛于桃林之野，以示天下太平。

③虞坂马长嘶：有一匹千里马拉着盐车经过虞坂，远远望见伯乐就仰天嘶鸣，知道他能认识自己的才能。

④叔侄去官闻广受：西汉疏广和疏受叔侄同朝为官。一天疏广对疏受说：知足不辱，知止不殆，功成身退。于是两个人一起辞官回家。

⑤弟兄让国有夷齐：伯夷、叔齐，是孤竹君的两个儿子。孤竹君打算立小儿子叔齐为君。父亲去世后，兄弟两人互相推让，都不愿继位，于是一起隐居起来。

⑥禁鼓：宫廷中之鼓。鼙（pí）：战鼓。

⑦徐稚榻：东汉陈蕃为豫章太守时，在家不接待宾客，只有徐稚来时特设一榻，徐稚离开就悬置起来。

⑧鲁班梯：鲁国公输班曾经帮助楚国造云梯攻打宋国。

⑨翥（zhù）：鸟向上飞。鸾栖：鸾鸟栖息。

⑩截发惟闻陶侃母：晋朝陶侃家贫，名士范逵前来拜访，无以待客。母亲剪下长发换来酒肴招待客人。

⑪萧史凤：战国秦穆公之女弄玉与丈夫萧史善于吹箫，每次吹箫都把凤凰引来。

⑫宋宗鸡：晋朝兖州刺史宋处宗在窗前养了一只鸡，能和人对话，而且见解独到，宋处宗的功业因此大进。

⑬杨柳和烟彭泽县：晋朝陶潜曾任彭泽县令，他的门前有五棵柳树，号五柳先生。

⑭桃花流水武陵溪：陶潜《桃花源记》中说，晋太原中有武陵人捕鱼为业，沿着一条溪流进入桃花源。

⑮玉骢（cōng）：泛指骏马。

⑯绮陌：繁华的街道。

⑰珊枕：用珊瑚制成的头枕。

九佳

河对海，汉对淮。赤岸对朱崖。鹭飞对鱼跃，宝钿对金钗。鱼圉圉[1]，鸟喈喈[2]。草履对芒鞋。古贤崇笃厚，时辈喜诙谐。孟训文公谈性善[3]，颜师孔子问心斋[4]。缓抚琴弦，像流莺而并语；斜排筝柱，类过雁之相挨。

丰对俭，等对差。布袄对荆钗[5]。雁行对鱼阵，榆塞对兰崖。挑荠女，采莲娃。菊径对苔阶。诗成六义备，乐奏八音[6]谐。造律吏哀秦法酷[7]，知音人说郑声哇[8]。天欲飞霜，塞上有鸿行已过；云将作雨，庭前多蚁阵先排。

城对市，巷对街。破屋对空阶。桃枝对桂叶，砌蚓对墙蜗。梅可望[9]，橘堪怀[10]。季路对高柴[11]。花藏沽酒市，竹映读书斋。马首不容孤竹扣[12]，车轮终就洛阳埋[13]。朝宰锦衣，贵束乌犀之带[14]；宫人宝髻，宜簪白燕之钗[15]。

【注释】

①圉圉（yǔ）：局促不安的样子。

②喈喈（jiē）：禽鸟鸣叫声。

③孟训文公谈性善：滕文公见孟子，孟子和他谈论性善的问题，言必称尧舜。

④颜师孔子问心斋：颜回曾向孔子请教心斋的问题。心斋，排除一切思虑和欲望，使心境清净。

⑤荆钗：用荆条制成的髻钗。

⑥八音：古代用金、石、丝、竹、匏、土、革、木八种材质制成的乐器。

⑦造律吏哀秦法酷：刘邦进入咸阳，感叹秦法的残酷，于是命萧何重新制定律法。

⑧知音人说郑声哇：春秋时郑国俗乐多靡靡之音。

⑨梅可望：三国曹操率军出征军，天气炎热，士兵饥渴难忍。曹操说：前面有一片梅林，可以止渴，士卒听说后都流出口水。

⑩橘堪怀：东汉陆绩六岁的时候见袁术，袁术拿出橘子招待他，陆绩就藏了几个。走的时候，橘

子掉了出来。袁术问他原因，他说是想带回去给母亲吃。

⑪季路：即子路，名仲由，孔子弟子。高柴：孔子的弟子。

⑫马首不容孤竹扣：周武王伐纣，商孤竹君之子叔齐、伯夷认为不合道义，于是拦住周武王的马劝谏。

⑬车轮终就洛阳埋：东汉张纲为御史时，被派往地方考察民情。张纲将车轮埋在洛阳都亭说："豺狼当道，安问狐狸。"于是上书弹劾当时专权的外戚梁冀。

⑭乌犀之带：用黑犀牛角装饰的腰带。

⑮白燕之钗：汉成帝时，有神女进献一支燕钗，成帝将其赐给赵婕妤。昭帝时燕钗被宫人失手打碎，化白燕飞走了。

十灰

增对损，闭对开。碧草对苍苔。书签对笔架，两曜对三台[①]。周召虎[②]，宋桓魋[③]。阆苑对蓬莱[④]。薰风生殿阁，皓月照楼台。却马汉文思罢献[⑤]，吞蝗唐太冀移灾[⑥]。照耀八荒，赫赫丽天秋日；震惊百里，轰轰出地春雷。

沙对水，火对灰。雨雪对风雷。书淫对传癖[⑦]，水浒对岩隈[⑧]。歌旧曲，酿新醅[⑨]。舞馆对歌台。春棠经雨放，秋菊傲霜开。作酒固难忘曲蘖[⑩]，调羹必要用盐梅[⑪]。月满庾楼，据胡床而可玩[⑫]；花开唐苑，轰羯鼓以奚催[⑬]。

休对咎，福对灾。象箸对犀杯。宫花对御柳，峻阁对高台。花蓓蕾，草根荄[⑭]。剔藓对剜苔。雨前庭蚁闹，霜后阵鸿哀。元亮南窗今日傲，孙弘东阁几时开[⑮]。平展青茵，野外茸茸软草；高张翠幄，庭前郁郁凉槐。

【注释】

①两曜（yào）：日月。三台：即三台星。上台司命，中台司爵，下台司禄。

②周召虎：即召公虎。周厉王暴虐，不听召公劝谏，引发国人暴动。厉王出逃，召公与周公共同语摄政，后拥立太子静，即周宣王。

③宋桓魋（tuí）：桓魋，春秋宋国人。孔子经过宋国时，他曾想杀死孔子。

④阆（làng）苑：阆风山之苑，与蓬莱都是传说中的仙境。

⑤却马汉文思罢献：汉文帝时有人进献千里马，文帝下诏还之，并且下诏停止进献千里马。

⑥吞蝗唐太冀移灾：唐太宗时，有一年蝗灾流行，唐太宗吞食了几只蝗虫，说："但当食朕心，毋害百姓。"蝗灾果然消除。

⑦书淫：晋朝的皇甫谧，博览群书，时人称"书淫"。传癖：晋朝杜预，喜好《左传》，时人称"传癖"。

⑧水浒：水边。隈（wēi）：山或水弯曲之处。

⑨醅（pēi）：未过滤的酒。

⑩曲蘖：即酒曲。

⑪盐梅：调味品，即咸盐与酸梅。

⑫月满庾楼，据胡床而可玩：晋朝庾亮任江州刺史时，乘月登南楼，据胡床自玩。胡床，可折叠的轻便坐具。

⑬花开唐苑，轰羯（jié）鼓以奚催：杨贵妃见庭院中百花未开，就命敲打羯鼓催促，结果桃花、杏花竞相开放。

⑭荄（gāi）：草根。

⑮孙弘东阁几时开：西汉公孙弘为相时，开平津阁以招揽贤才。

十一真

邪对正，假对真。獬豸[1]对麒麟。韩卢对苏雁[2]，陆橘对庄椿[3]。韩五鬼[4]，李三人[5]。北魏对西秦。蝉鸣哀暮夏，莺啭怨残春。野烧焰腾红烁烁，溪流波皱碧粼粼。行无踪，居无庐，颂成酒德[6]；动有时，藏有节，论著钱神[7]。

哀对乐，富对贫。好友对嘉宾。弹冠对结绶，白日对青春。金翡翠，玉麒麟。虎爪对龙鳞。柳塘生细浪，花径起香尘。闲爱登山穿谢屐，醉思漉酒脱陶巾[8]。雪冷霜严，倚槛松筠[9]同傲岁；日迟风暖，满园花柳各争春。

香对火，炭对薪。日观对天津。禅心对道眼，野妇对宫嫔。仁无敌，德有邻。万石对千钧。滔滔三峡水，冉冉一溪冰。充国功名当画阁[10]，子张言行贵书绅[11]。笃志诗书，思入圣贤绝域；忘情官爵，羞沾名利纤尘。

【注释】

①獬豸（xiè zhì）：古代传说中的异兽，能辩曲

直，敢触邪恶。

②韩卢：战国时韩国一条狗的名字。苏雁：西汉苏武被拘禁在匈奴，写信系在大雁脚上，大雁飞至汉苑传信。

③庄椿：《庄子·逍遥游》："上古有大椿者，以八千岁为春，以八千岁为秋。"

④韩五鬼：唐代韩愈《送穷文》中称命穷、智穷、学穷、文穷、交穷为"五穷鬼"。

⑤李三人：李白《月下独酌》诗有"举杯邀明月，对影成三人"的句子。

⑥行无踪，居无庐，颂成酒德：刘伶作《酒德颂》，其中有"行无辙迹，居无室庐"句。

⑦动有时，藏有节，论著钱神：晋代鲁褒著《钱神论》，内有"动静有时，行藏有节"句。

⑧醉思漉酒脱陶巾：陶渊明自己酿酒，酒熟后取头上葛巾来滤酒，滤后再戴回头上。

⑨筠（yún）：竹外青皮，引申为竹子。

⑩充国功名当画阁：汉宣帝时，赵充国、霍光等十人因为战功显赫，其图像被画于麒麟阁。

⑪子张言行贵书绅：孔子的弟子子张曾将孔子"言忠信，行敬笃"的教诲写在带子上，以示牢记不忘。

十二文

家对国，武对文。四辅对三军[①]。九经对三史[②]，菊馥对兰芬。歌北鄙[③]，咏南薰[④]。迩听对遥闻。召公周太保[⑤]，李广汉将军[⑥]。闻化蜀民皆草偃[⑦]，争权晋土已瓜分[⑧]。巫峡夜深，猿啸苦哀巴地月；衡峰秋早，雁飞高贴楚天云。

欹[⑨]对正，见对闻。偃武对修文。羊车对鹤驾[⑩]，朝旭对晚曛。花有艳，竹成文。马燧对羊欣[⑪]。山中梁宰相[⑫]，树下汉将军[⑬]。施帐解围嘉道韫[⑭]，当垆沽酒叹文君[⑮]。好景有期，北岭几枝梅似雪；丰年先兆，西郊千顷稼如云。

尧对舜，夏对殷。蔡惠对刘蕡[⑯]。山明对水秀，五典对三坟[⑰]。唐李杜，晋机云[⑱]。事父对忠君。雨晴鸠唤妇，霜冷雁呼群。酒量洪深周仆射[⑲]，诗才俊逸鲍参军[⑳]。鸟翼长随，凤兮洵众禽长；狐威不假，虎也真百兽尊。

【注释】

①四辅：传说古代天子有四个辅佐官。三军：古时称上军、中军、下军或左军、中军、右军。

②九经：指《易经》《尚书》《诗经》《周礼》《仪礼》《礼记》《春秋》《孝经》《论语》。三史：编年、纪传、实录三种体裁的史书。指《史记》《汉书》和《东观汉记》。《后汉书》出现后取代了《（东观汉记）》。

③歌北鄙：北鄙，北方边境地区。商纣喜好北鄙之乐，因此而忽然亡国。北鄙之乐被视为亡国之音。

④咏南薰：舜弹五弦琴唱道："南风之熏兮，可以解吾民之愠兮；南风之时兮，可以阜吾民之财兮。"被视为发达之音。

⑤召公周太保：召公，名奭，周太保。

⑥李广汉将军：西汉名将，拜为右北平太守，匈奴闻之丧胆，号为飞将军。

⑦闻化蜀民皆草偃：西汉文翁为蜀郡太守，教化百姓有方，百姓信服，就像风吹草伏一样。

⑧争权晋土已瓜分：春秋时晋国最初有六卿：智氏、赵氏、韩氏、范氏、魏氏、中行氏，后来只

剩下赵、魏、韩三家。这三家共同废除晋君，分其地号三晋。

⑨攲（qī）：斜。

⑩羊车对鹤驾：晋武帝幸临宫掖，乘羊车，羊停在哪里，就住在哪个妃子那里，宫妃们就在自己的门前插上竹叶，洒上盐水，希望把羊车引到自己这里。鹤驾：周灵王的太子王子晋，在缑山乘白鹤仙去。

⑪马燧：唐朝宰相。羊欣：东晋、南朝宋时人，字元敬，为新安守，著名书法家。

⑫山中梁宰相：南朝陶弘景隐居茅山，梁武帝每有大事都向他咨询，号“山中宰相”。

⑬树下汉将军：东汉冯异屡建奇功，每当大家争论战功时，他都独自退避于大树之下，号大树将军。

⑭施帐解围嘉道韫：晋朝王献之，与客人论辩理屈词穷，其嫂谢道韫想替他解围，于是在帷帐后面引申王献之的观点，客人竟然辩不过她。

⑮当垆沽酒叹文君：西汉卓文君与司马相如私奔，开了一家酒店，卓文君当垆卖酒。

⑯蔡惠：西汉蔡惠梦见得禾复失，郭乔替他解梦说：禾失为秩，当晋爵。果然。刘蕡：唐朝刘蕡

对策议宦官误国，考官不敢录取。李郃说：刘蕡落榜，我们却登科，实在太厚脸无耻了。

⑰五典：少昊、颛顼、高辛、唐、虞之书为五典。三坟：伏羲本山坟作《易》曰《连山》，神农本气坟作《易》曰《归藏》，黄帝本形坟作《易》曰《坤乾》，共称三坟。

⑱晋机云：晋朝陆机、陆云兄弟以文齐名。

⑲酒量洪深周仆射：晋朝周顗嗜酒如命，做仆射时，因酒误事被免职，号为“三日仆射”。

⑳诗才俊逸鲍参军：南朝诗人鲍照曾做官参军，诗情俊逸。唐朝杜甫有诗称赞他“俊逸鲍参军”。

十三元

幽对显，寂对喧。柳岸对桃源。莺朋对燕友，早暮对寒暄。鱼跃沼，鹤乘轩[1]。醉胆对吟魂。轻尘生范甑[2]，积雪拥袁门[3]。缕缕轻烟芳草渡，丝丝微雨杏花村。诣阙王通，献太平十二策[4]；出关老子，著道德五千言[5]。

儿对女，子对孙。药圃对花村。高楼对邃阁，赤豹对玄猿。妃子骑[6]，夫人轩[7]。旷野对平原。匏巴能鼓瑟[8]，伯氏善吹埙[9]。馥馥早梅思驿使[10]，萋萋芳草怨王孙[11]。秋夕月明，苏子黄冈游赤壁[12]；春朝花发，石家金谷启芳园[13]。

歌对舞，德对恩。犬马对鸡豚。龙池对凤沼，雨骤对云屯。刘向阁[14]，李膺门[15]。唳鹤对啼猿。柳摇春白昼，梅弄月黄昏。岁冷松筠皆有节，春喧桃李本无言。噪晚齐蝉[16]，岁岁秋来泣恨；啼宵蜀鸟[17]，年年春去伤魂。

【注释】

①鹤乘轩：春秋时卫懿公荒淫好鹤，经常让鹤

乘轩车。后来狄人攻打卫国，士兵都说：鹤有爵禄，用鹤打仗好了，我们怎么会打仗。轩，轩车，古代大夫以上才能乘坐。

②轻尘生范甑（zèng）：汉朝的范丹因罪逃离京城，以占卜维持生计，常常无米做饭，锅里都落满灰尘。甑，古代蒸饭的一种瓦器。

③积雪拥袁门：东汉时洛阳大雪，县令巡视灾情，见袁安闭门高卧未起。问他为什么不出去求食。他说别人家的粮食也不多，不想麻烦他人。

④诣阙王通，献太平十二策：王通是隋朝思想家，曾献《太平策》十二篇给隋文帝，不被采纳。阙，皇宫门前两边供瞭望的楼，借指朝廷。

⑤出关老子，著道德五千言：函谷关的尹喜望见远方有紫气东来，不久果然见老子骑着青牛而来。在尹喜的请求下，老子出关前留下《道德经》五千字。

⑥妃子骑：杨贵妃喜欢吃新鲜荔枝，每当荔枝熟的季节，唐玄宗便命人从岭南骑快马送到长安。唐杜牧诗有“一骑红尘妃子笑，无人知是荔枝来”句。

⑦夫人轩：即鱼轩，用鱼皮装饰的供贵妇人乘坐的车。

⑧匏（páo）巴：古代擅长鼓瑟的人。传说匏巴鼓瑟时，河里的鱼都跃出水面听。

⑨埙：古代土制乐器，椭圆形，有六孔。

⑩馥馥早梅思驿使：南朝陆凯与范晔交情深厚，他从江南给在长安的范晔寄去一枝梅花，并且赠诗："折梅逢驿使，寄与陇头人。江南无所有，聊赠一枝春。"

⑪萋萋芳草怨王孙：《楚辞》有"王孙游兮不归，春草生兮萋萋"句。

⑫秋夕月明，苏子黄冈游赤壁：苏轼《前赤壁赋》："壬戌之秋，七月既望，苏子与客泛舟游于赤壁之下。"赤壁，指湖北黄冈的黄州赤壁。

⑬春朝花发，石家金谷启芳园：晋朝石崇有"金谷园"，春天在园中宴请宾客赋诗吟唱，作不出诗的就罚酒三斗。

⑭刘向阁：西汉刘向曾校书于天禄阁，故称。

⑮李膺（yīng）门：东汉李膺为太尉，很少与人交往，登其门者号登龙门。

⑯齐蝉：齐国的王后与王斗气而死，死后化为蝉，叫声哀鸣。

⑰蜀鸟：蜀国灭亡后，蜀王杜宇化为鹃鸟，啼血乃止。

十四寒

多对少，易对难。虎踞对龙蟠[1]。龙舟对凤辇，白鹤对青鸾。风淅淅，露涔涔[2]。绣毂对雕鞍。鱼游荷叶沼，鹭立蓼花[3]滩。有酒阮貂奚用解[4]，无鱼冯铗必须弹[5]。丁固梦松，柯叶忽然生腹上[6]；文郎画竹，枝梢倏尔长毫端[7]。

寒对暑，湿对干。鲁隐对齐桓。寒毡对暖席，夜饮对晨餐。叔子带[8]，仲由冠[9]。郏鄏[10]对邯郸。嘉禾忧夏旱，衰柳耐秋寒。杨柳绿遮元亮宅，杏花红映仲尼坛[11]。江水流长，环绕似青罗带；海蟾[12]轮满，澄明如白玉盘。

横对竖，窄对宽。黑志对弹丸[13]。朱帘对画栋，彩槛对雕栏。春既老，夜将阑。百辟对千官。怀仁称足足，抱义美般般[14]。好马君王曾市骨[15]，食猪处士仅思肝[16]。世仰双仙，元礼舟中携郭泰[17]；人称连璧，夏侯车上并潘安[18]。

【注释】

①虎踞：指石头城。龙蟠：中山。

②露抟抟（tuán）：露水多；一说露珠很圆。

③蓼（liǎo）花：生于水边，花小，多白色或浅红色。

④有酒阮貂奚用解：晋朝阮孚嗜酒，曾解金貂换酒喝。貂，金貂，汉朝以后帝王左右侍臣的冠饰。

⑤无鱼冯铗必须弹：冯谖是战国时孟尝君的门客，有一天他弹剑而唱："长铗归来兮，食无鱼。"孟尝君听说后，就提升了他的待遇。

⑥丁固梦松，柯叶忽然生腹上：西汉丁固梦见自己肚子上长出一棵松树。解梦说：松字十八公。十八年后果然位列三公。

⑦文郎画竹，枝梢倏尔长毫端：宋朝文与可擅长画墨竹，顷刻之间就能画成。

⑧叔子带：晋朝羊祜，任荆州都督时，经常穿轻裘缓带，身不披战甲。

⑨仲由冠：仲由为孔子弟子。字子路，又字季路。仲由初见孔子，戴着雄鸡冠，死时正冠而死。

⑩郏鄏（jiá rǔ）：地名，在河南洛阳，周成王定都于此。

⑪杏花红映仲尼坛：孔子字仲尼，他休息时在杏坛上弹琴，学生则在旁边诵书。

⑫海蟾：相传月中有蟾蜍，所以用海蟾代指月亮。

⑬黑志、弹丸：皆指土地狭小。《宋史·赵普传》载，宋太祖欲取太原，赵普曰："候俟平诸国，弹丸黑志之地将何所避。"

⑭怀仁称足足，抱义美般般：《文选》有"般般抱义，足足怀仁"句。般般，麒麟叫声。足足，凤凰鸣声。

⑮好马君王曾市骨：战国时燕昭王派人去西域买千里马，但是送到时千里马已经死了，于是，燕昭王买下了马的骨头。

⑯食猪处士仅思肝：东汉闵仲叔，家贫。他喜欢吃猪肝，安邑县令听说后，每天供给他猪肝。闵仲叔感叹说：我怎么能以口腹之欲累人呢？于是离开安邑。

⑰世仰双仙，元礼舟中携郭泰：东汉李膺与郭泰都是当时名士，学识渊博，一次两人一同乘船，被时人称为李郭仙舟。

⑱人称连璧，夏侯车上并潘安：晋朝夏侯湛与潘岳是好友，都是美男子，一次二人同车赶往京城，时人称为连璧。连璧，连在一起的两块宝玉。

十五删

兴对废，附对攀。露草对霜菅[1]。歌廉对借寇[2]，习孔对希颜[3]。山垒垒，水潺潺。奉璧对探镮[4]。礼由公旦作[5]，诗本仲尼删[6]。驴困客方经灞水，鸡鸣人已出函关[7]。几夜霜飞，已有苍鸿辞北塞；数朝雾暗，岂无玄豹隐南山[8]。

犹对尚，侈对悭。雾髻对烟鬟。莺啼对鹊噪，独鹤对双鹇。黄牛峡，金马山。结草对衔环[9]。昆山惟玉集，合浦有珠还。阮籍旧能为眼白，老莱新爱着衣斑[10]。栖迟避世人，草衣木食；窈窕倾城女，云鬓花颜。

姚对宋[11]，柳对颜[12]。赏善对惩奸。愁中对梦里，巧慧对痴顽。孔北海[13]，谢东山[14]。使越对征蛮。淫声闻濮上[15]，离曲听阳关。骁将袍披仁贵白[16]，小儿衣着老莱斑。茅舍无人，难却尘埃生榻上；竹亭有客，尚留风月在窗间。

【注释】

①霜菅（jiān）：霜后枯萎的菅草。

②歌廉：东汉廉叔度为蜀郡太守，为官清廉，百姓富足，于是百姓称赞说：“廉叔度，来何暮。不禁火，民安作。昔无襦，今五袴。”借寇：东汉寇恂任河内太守时，深得百姓信赖。离任时，百姓拦住去路，希望再借寇恂一年，朝廷准许。

③习孔：学习孔子。希颜：效法颜回。

④探镮（huán）：晋朝羊祜五岁时，说邻居家的树洞中有金环。邻居说这是他死去的儿子丢掉的。大家认为羊祜是邻居家孩子转世。镮，通“环”。

⑤礼由公旦作：周公旦制作《周礼》。

⑥诗本仲尼删：据说《诗经》原本三千余篇，孔子删为三百零五篇。

⑦鸡鸣人已出函关：秦国规定，过函谷关要等鸡鸣之后。孟尝君夜至函谷关，不能通行，门客中有个人善于模仿鸡叫，他模仿着叫了一声，于是所有的鸡都跟着打鸣，孟尝君得以顺利出关。

⑧数朝雾暗，岂无玄豹隐南山：陶答子治理陶地三年，没有造福地方百姓，却聚敛了大量的财富。他的妻子哭道：南山有黑豹，藏在雾雨中七天

不去捕食，为的是让皮毛长得更好；而猪和狗，贪吃长肥，只能等着被杀。

⑨结草对衔环：战国时魏颗的父亲非常宠爱自己的妾，病重时对魏颗说：“我死后，让妾择人再嫁。”病逝前又说：“杀妾为我殉葬。”父亲死后，魏颗将妾嫁出去。后来秦与晋两军作战，一个老人结草帮助魏颗获胜。魏颗夜里梦见老人说：他就是那个免于殉葬的妾的父亲。衔环：汉朝杨宝见到一只黄雀受伤，就将其医好放生。一天这只黄雀化身为黄衣少年，衔四枚玉环来报恩。

⑩老莱新爱着衣斑：周代老莱子非常孝顺，年近七十，仍然穿着五彩斑斓的衣服，学婴儿游戏，让父母欢心。

⑪姚、宋：唐姚崇与宋璟齐名，都是名相。

⑫柳、颜：唐朝柳公权、颜真卿都擅长书法，人称颜筋柳骨。

⑬孔北海：东汉孔融曾任北海太守。

⑭谢东山：东晋谢安曾隐居东山。

⑮濮上：春秋时期卫国地名，青年男女常常在此歌舞幽会。

⑯仁贵白：唐朝大将薛仁贵常服白袍，号称“白袍将军”。

下　卷

一先

晴对雨，地对天。天地对山川。山川对草木，赤壁对青田。郏鄏鼎，武城弦[①]，木笔对苔钱[②]。金城三月柳，玉井九秋莲。何处春朝风景好，谁家秋夜月华圆。珠缀花梢，千点蔷薇香露；练横树杪，几丝杨柳残烟。

前对后，后对先。众丑对孤妍。莺簧对蝶板，虎穴对龙渊。击石磬[③]，观韦编[④]。鼠目对鸢肩。春园花柳地，秋沼芰荷天。白羽频挥闲客坐，乌纱半坠醉翁眠[⑤]。野店几家，羊角风摇沽酒旆[⑥]；长川一带，鸭头[⑦]波泛卖鱼船。

离对坎，震对乾[⑧]。一日对千年。尧天对舜日，蜀水对秦川。苏武节，郑虔毡[⑨]，涧壑对林泉。挥戈能退日[⑩]，持管莫窥天。寒食芳辰花烂漫，中秋佳节月婵娟。梦里荣华，飘忽枕中之客[⑪]；壶中日月，安闲市上之仙[⑫]。

【注释】

①武城弦：孔子弟子子游为武城宰时，以弦歌教化民众。

②木笔：即辛夷花。苔钱：苔藓的形状像铜钱，故名。

③击石磬：孔子曾在卫国击石磬。

④观韦编：孔子喜欢读《周易》，由于时常翻阅，致使连接竹简的皮绳断了三次。

⑤乌纱半坠醉翁眠：晋朝阮籍常因醉酒睡在邻居妇人的旁边，乌纱帽也半坠下来。

⑥羊角：盘旋上升的旋风，状似羊角而有此称。沽酒旆（pèi）：酒幌子。

⑦鸭头：形容水绿。

⑧离、坎、震、乾：八卦中的四种卦名。

⑨郑虔毡：唐朝郑虔极富才学，为官节俭清廉，严冬季节，竟没有毛毡取暖。

⑩挥戈能退日：春秋时楚国的鲁阳公与韩构作战，一直战到天黑，仍不分胜负。鲁阳公挥戈阻止太阳降落，并让太阳倒退三舍。

⑪梦里荣华，飘忽枕中之客：卢生在邯郸的客店遇到道士吕翁，吕翁给了他一个枕头，他枕着枕

头梦见自己一生享尽荣华富贵，谁知一觉醒来，主人的黄粱米饭还没熟，于是看透世间繁华。

⑫壶中日月，安闲市上之仙：东汉费长房遇见一位老人卖药，挂着一个壶，累了就进入壶中休息。费长房惊讶不已，请求老人带他一起进去，见壶中亭榭楼阁，富丽堂皇。

二萧

恭对慢，吝对骄。水远对山遥。松轩对竹槛，雪赋对风谣。乘五马[①]，贯双雕[②]。烛灭对香消。明蟾常彻夜，骤雨不终朝。楼阁天凉风飒飒，关河地隔雨潇潇。几点鹭鸶，日暮常飞红蓼岸；一双鸂鶒[③]，春朝频泛绿杨桥。

开对落，暗对昭。赵瑟对虞韶。轺车[④]对驿骑，锦绣对琼瑶。羞攘臂[⑤]，懒折腰[⑥]。范甑对颜瓢。寒天鸳帐酒[⑦]，夜月凤台箫。舞女腰肢杨柳软，佳人颜貌海棠娇。豪客寻春，南陌草青香阵阵；闲人避暑，东堂蕉绿影摇摇。

班对马，董对晁[⑧]。夏昼对春宵。雷声对电影，麦穗对禾苗。八千路[⑨]，廿四桥[⑩]。总角对垂髫[⑪]。露桃匀嫩脸，风柳舞纤腰。贾谊赋成伤鹏鸟[⑫]，周公诗就托鸱鸮[⑬]。幽寺寻僧，逸兴岂知俄尔尽；长亭送客，离魂不觉黯然消。

【注释】

①乘五马：汉制，太守车乘为四匹马，其加秩二千石则加一匹马，五马成为太守的代称。

②贯双雕：一箭双雕。贯，穿，通。

③鸂鶒（xī chì）：指像鸳鸯一样的水鸟。

④轺（yáo）车：古代的轻便马车。

⑤羞攘臂：齐国征兵役，支离疏有残疾，原本可以免除兵役，但是他卷起衣袖，露出手臂，无所畏惧。

⑥懒折腰：陶渊明羞为五斗米折腰。五斗米，晋时县令每月的俸禄数。

⑦寒天鸳帐酒：陶谷买了党太尉的一名奴婢，冬天和她一起取来雪水烹茶，问她："党家有此雅兴吗？"奴婢说："他是个武人，怎么有如此雅兴，只知道销金帐中找女子唱歌，饮羊羔酒而已。"

⑧董：董仲舒，西汉经学大家。晁：晁错，西汉名臣。

⑨八千路：唐朝韩愈有诗："一封朝奏九重天，夕贬潮阳路八千。"

⑩廿四桥：扬州有二十四桥。杜牧《寄韩绰

判官》中有“二十四桥明月夜，玉人何处教吹箫”句。

⑪总角：古人未成年之前束发为两结，形状如角，称总角。垂髫：古时儿童不束发，头发下垂，代指儿童。

⑫贾谊赋成伤鹏（fú）鸟：有只鹏鸟闯进贾谊的住处，贾谊认为这是不祥的征兆，将其打伤，作《鹏鸟赋》。鹏，不祥之鸟，即猫头鹰。

⑬周公诗就托鸱鸮（chī xiāo）：西周的管、蔡二人传言周公有二心，周公作《鸱鸮》之诗以明志。

三肴

风对雅[1]，象对爻[2]。巨蟒对长蛟。天文对地理，蟋蟀对螵蛸[3]。龙夭矫，虎咆哮。北学对东胶[4]。筑台须垒土，成屋必诛茅。潘岳不忘秋兴赋[5]，边韶常被昼眠嘲[6]。抚养群黎，已见国家隆治；滋生万物，方知天地泰交。

蛇对虺[7]，蜃[8]对蛟。麟薮[9]对鹊巢。风声对月色，麦穗对桑苞。何妥难[10]，子云嘲[11]。楚甸对商郊。五音[12]惟耳听，万虑在心包。葛被汤征因仇饷[13]，楚遭齐伐责包茅[14]。高矣若天，洵是圣人大道；淡而如水，实为君子神交。

牛对马，犬对猫。旨酒对嘉肴。桃红对柳绿，竹叶对松梢。藜杖[15]叟，布衣樵。北野对东郊。白驹形皎皎，黄鸟语交交。花圃春残无客到，柴门夜永有僧敲[16]。墙畔佳人，飘扬竞把秋千舞；楼前公子，笑语争将蹴鞠[17]抛。

【注释】

①风对雅:《诗经》分风、雅、颂三部分。

②象对爻:象即解说卦的文辞,爻即组成卦的符号。

③螵蛸(piāo xiāo):海螵蛸,一名乌贼鱼。一说指螳螂的卵块。

④北学:古学校名。东胶:周代的大学。

⑤潘岳不忘秋兴赋:西晋文学家潘岳作《秋兴赋》。

⑥边韶常被昼眠嘲:边孝先喜昼眠,弟子嘲之。韶曰:"边为姓,孝先字,腹便便,五经笥,但欲眠,思经事。"

⑦虺(huǐ):古书上说的一种毒蛇。

⑧蜃:大型贝类动物。

⑨麟薮(sǒu):麒麟聚集的地方。

⑩何妥难:何妥很聪明,学问渊博,但不能宽容他人,喜欢为难他人。元善为祭酒,讲春秋,私下对何妥说:"我是有一定名望的人,希望你不要为难我。"何妥同意了。但当就席入住之后,何妥用疑难问题问元善,元善多不能对,由此与何妥不再和睦。

⑪子云嘲：扬雄曾因为有人嘲讽他著书脱离实际，作《解嘲》一文，来解释自己的主张。

⑫五音：古代分别以宫、商、角（jué）、徵（zhǐ）、羽来称呼音乐，统称之则叫五音。

⑬葛被汤征因仇饷：相传，葛国与商汤是邻居，葛国借口没有祭祀的东西而不祭祀祖先。商汤就赠送给他很多牛羊、谷米等，但葛国国君把它们都吃掉了，还抢商汤送给老人小孩的食物。因为葛国国君杀了不交出食物的小孩，商汤征伐了葛国。

⑭楚遭齐伐责包茅：齐桓公讨伐楚国，借口就是楚国没有及时向周天子进贡祭祀用的包茅。

⑮藜杖：用藜的老茎做的拐杖。

⑯柴门夜永有僧敲：唐代诗人贾岛骑着毛驴行走于路上，作了两句诗“鸟宿池边树，僧推月下门”后又想将“推”字改为“敲”字，犹豫不决，便一手做推与敲的姿势边思考，撞到了韩愈的车。韩愈问明原因，慎重思考后建议其改为敲字。于是，便有了“推敲”这个典故。夜永，指夜深。

⑰蹴鞠：中国古代流行的一种体育运动，类似于今天的足球。

四豪

琴对瑟，剑对刀。地迥对天高。峨[①]冠对博[②]带，紫绶[③]对绯袍[④]。煎异茗，酌香醪。虎兕[⑤]对猿猱[⑥]。武夫攻骑射，野妇务蚕缫。秋雨一川淇澳[⑦]竹，春风两岸武陵桃。螺髻青浓，楼外晚山千仞；鸭头绿腻[⑧]，溪中春水半篙。

刑对赏，贬对褒。破斧对征袍。梧桐对橘柚，枳棘对蓬蒿。雷焕剑[⑨]，吕虔刀[⑩]。橄榄对葡萄。一椽书舍小，百尺酒楼高。李白能诗时秉笔，刘伶爱酒每𫗧糟[⑪]。礼别尊卑，拱北众星常灿灿；势分高下，朝东万水自滔滔。

瓜对果，李对桃。犬子对羊羔。春分对夏至，谷水对山涛。双凤翼，九牛毛[⑫]。主逸对臣劳。水流无限阔，山耸有余高。雨打村童新牧笠，尘生边将旧征袍。俊士居官，荣引鹓鸿之序[⑬]；忠臣报国，誓殚犬马之劳。

【注释】

①峨：高。

②博：大，阔。

③紫绶：用于系官印或做服装饰物的紫色丝带。

④绯袍：红色的官服。

⑤兕（sì）：雌的犀牛。

⑥猱（náo）：猴。

⑦淇澳：淇水岸边。淇，淇水，黄河的支流。澳，原写作“奥”，指水边地。《诗经·卫风·淇奥》：“瞻彼淇奥，绿竹猗猗。”

⑧腻：浓。

⑨雷焕剑：晋代雷焕掘得一双宝剑，送了张华其中一把。后来张华死了，张华手中那柄宝剑消失。有一天，雷焕过延平津，他的那柄宝剑突然跃入水中，化龙而去。

⑩吕虔刀：三国时魏国的吕虔认为王祥有三公之相，就把自己的佩刀送给了他，后来王祥果然位列三公。

⑪刘伶爱酒每餔（bū）糟：刘伶嗜酒，如果酒喝完了，就吃酿酒过滤后的渣滓。

⑫九牛毛：为“九牛一毛”的简称。

⑬荣引鹓（yuān）鸿之序：鹓鸿群飞有序，行列整齐。鹓，古书上指凤凰一类的鸟。

五歌

山对水，海对河。雪竹对烟萝。新欢对旧恨，痛饮对高歌。琴再抚，剑重磨。媚柳对枯荷。荷盘从雨洗，柳线任风搓。饮酒岂知欹醉帽[①]，观棋不觉烂樵柯[②]。山寺清幽，直踞千寻云岭；江楼宏敞，遥临万顷烟波。

繁对简，少对多。里咏对途歌。宦情对旅况，银鹿[③]对铜驼[④]。刺史鸭[⑤]，将军鹅[⑥]。玉律对金科。古堤垂亸[⑦]柳，曲沼长新荷。命驾吕因思叔夜[⑧]，引车蔺为避廉颇[⑨]。千尺水帘，今古无人能手卷；一轮月镜，乾坤何匠用功磨。

霜对露，浪对波。径菊对池荷。酒阑对歌罢，日暖对风和。梁父咏[⑩]，楚狂[⑪]歌。放鹤对观鹅。史才推永叔[⑫]，刀笔仰萧何[⑬]。种橘犹嫌千树少[⑭]，寄梅谁信一枝多。林下风生，黄发村童推牧笠；江头日出，皓眉溪叟晒渔蓑。

【注释】

①醉帽：晋代阮籍的醉态。

②烂樵柯：晋代的樵夫王质进山打柴，看见两位仙人在下棋，就停下来观看。等他们这一局下完了，他的斧头把子已经烂了。

③银鹿：颜真卿的家童叫银鹿。

④铜驼：古代宫门两旁常放置铜铸的骆驼。

⑤刺史鸭：唐代的韦应物曾经为刺史，养过鸭，他把鸭叫为绿头公子。

⑥将军鹅：王羲之官至右将军，天性喜欢鹅，山阴道士送给他一只鹅，要求他写《道德经》交换。

⑦亸（duǒ）：下垂的样子。

⑧命驾吕因思叔夜：吕因与稽叔夜关系很好，吕因每次思念稽叔夜，就驾车千里拜访。

⑨引车蔺为避廉颇：蔺相如因为完璧归赵从而位列上卿，廉颇很忌恨，当众说要羞辱他。相如每次外出，看见廉颇就避让，家人认为这样很耻辱。相如说："此先国家之急而后私仇也。"廉颇听了，深感愧疚，特负荆请罪。

⑩梁父咏：梁父是泰山下的一座小山，相传诸葛亮隐居隆中时，曾作《梁父吟》。

⑪楚狂：春秋末楚国人陆通披发装疯，不做官。

⑫史才推永叔：北宋欧阳修，字永叔。他曾与宋祁合著《新唐书》，自撰《新五代史》。

⑬刀笔仰萧何：西汉的律令制度都是萧何依据秦朝律法制定。

⑭种橘犹嫌千树少：三国时吴国丹阳太守李衡栽了一千棵橘树，他告诉儿子，这一千棵橘树就是他留下的家产，能保证衣食无忧。

六麻

松对柏，缕对麻。蚁阵对蜂衙[1]。赪[2]鳞对白鹭，冻雀对昏鸦。白堕[3]酒，碧沉茶[4]。品笛对吹笳。秋凉梧堕叶，春暖杏开花。雨长苔痕侵壁砌，月移梅影上窗纱。飒飒秋风，度城头之筚篥[5]；迟迟晚照，动江上之琵琶。

优对劣，凸对凹。翠竹对黄花。松杉对杞梓，菽麦对桑麻。山不断，水无涯。煮酒对烹茶。鱼游池面水，鹭立岸头沙。百亩风翻陶令秫[6]，一畦雨熟邵平瓜[7]。闲捧竹根[8]，饮李白一壶之酒；偶擎桐叶[9]，啜卢仝七碗之茶[10]。

吴对楚，蜀对巴。落日对流霞。酒钱[11]对诗债[12]，柏叶对松花。驰驿骑，泛仙槎[13]。碧玉对丹砂。设桥偏送笋[14]，开道竟还瓜[15]。楚国大夫沉汨水[16]，洛阳才子谪长沙[17]。书箧琴囊，乃士流活计；药炉茶鼎，实闲客生涯。

【注释】

①蜂衙：众蜂簇拥蜂王，就像古代官场中去上司衙门中排班参见。

②赪（chēng）：红色。

③白堕：酒名，北魏河东人刘白堕善酿酒，故名。后世泛指美酒。

④碧沉茶：一种绿茶。

⑤筚篥（bì lì）：一种少数民族管乐器，声音低沉悲咽。

⑥百亩风翻陶令秫（shú）：陶渊明嗜酒，曾下令他治下的公田都用来种秫谷，用来酿酒。

⑦一畦雨熟邵平瓜：秦亡后，东陵侯邵平在长安城种瓜，其瓜有五种颜色，人称“邵平瓜”。

⑧竹根：酒杯名。

⑨桐叶：茶盏名。

⑩啜卢仝（tóng）七碗之茶：中唐诗人卢仝连喝朋友赠送的新茶六碗，到第七碗就“唯觉两腋习习清风生”。

⑪酒钱：刘延之送给陶渊明两万钱，陶渊明将之全部用来还酒家之债。

⑫诗债：宋代苏轼有诗：“口业不偿诗有债。”

⑬仙槎（chá）：相传有人寻到了河的源头，泛槎到了天河，遇见织女。槎，竹木筏。

⑭设桥偏送笋：范元琰看见有人偷笋，但没有办法过沟，就砍了一棵树为桥让小偷过。小偷很惭愧，将笋送还。

⑮开道竟还瓜：晋代桑虞看见有人偷瓜，认为菜园的篱笆刺太多了，就开了一条小道。小偷知道后，归还偷的瓜，并叩头请罪。桑虞没有计较，将瓜送给了偷瓜人。

⑯楚国大夫沉汨（mì）水：楚大夫屈原忠心耿耿，却被小人诬陷，遭到驱逐，自沉汨水（汨罗江）而死。

⑰洛阳才子谪长沙：贾谊是洛阳才子，汉文帝时遭到大臣的诋毁，被贬为长沙王太傅，抑郁而终。

七阳

高对下，短对长。柳影对花香。词人对赋客，五帝[①]对三王[②]。深院落，小池塘。晚眺[③]对晨妆。绛霄唐帝殿[④]，绿野晋公堂[⑤]。寒集谢庄衣上雪[⑥]，秋添潘岳鬓边霜[⑦]。人浴兰汤[⑧]，事不忘于端午；客斟菊酒[⑨]，兴常记于重阳。

尧对舜，禹对汤。晋宋对隋唐。奇花对异卉，夏日对秋霜。八叉手[⑩]，九回肠[⑪]。地久对天长。一堤杨柳绿，三径[⑫]菊花黄。闻鼓塞兵方战斗，听钟[⑬]宫女正梳妆。春饮方归，纱帽半淹邻舍酒；早朝初退，衮衣[⑭]微惹御炉香。

荀对孟[⑮]，老对庄[⑯]。亸柳对垂杨。仙宫对梵宇[⑰]，小阁对长廊。风月窟，水云乡。蟋蟀对螳螂。暖烟香霭霭，寒烛影煌煌。伍子欲酬渔父剑[⑱]，韩生尝窃贾公香[⑲]。三月韶光，常忆花明柳媚；一年好景，难忘橘绿橙黄。

【注释】

①五帝：黄帝、颛顼、辛喾、尧、舜。

②三王：禹、汤、文武。

③晚眺：傍晚眺望。

④唐帝殿：唐玄宗曾建有绛霄殿。

⑤绿野晋公堂：唐代斐度封为晋国公，建绿野堂。

⑥寒集谢庄衣上雪：谢庄上朝回家，衣上雪花点点，大家都跟着学习，以为这样很有风韵。

⑦秋添潘岳鬓边霜：潘岳的头发像白雪一样。

⑧人浴兰汤：端午纪念屈原，《楚辞·九歌·云中君》："沐兰汤兮芳华。"

⑨菊酒：重阳节喝菊花酿的酒。

⑩八叉手：唐代诗人温庭筠才思敏捷，工诗赋，八叉手而诗成，人称"温八叉"。

⑪九回肠：汉代司马迁在《报任少卿书》中："是以肠一日而九回。"形容忧思之甚。

⑫三径：指家园或隐士居所。

⑬听钟：武帝在景阳楼设钟，每天钟鸣则宫人起床。

⑭衮（gǔn）衣：指古代帝王及大臣绣龙的礼服。

⑮荀、孟：分别为战国时儒家代表人物荀卿、孟轲。

⑯老、庄：分别为春秋时道家创始人老子、战国时道家代表人物庄周。

⑰梵宇：僧寺庙宇。

⑱伍子欲酬渔父剑：楚人追捕伍子胥，到了江边，伍子胥着急过江，有一个渔父把他渡过去了，伍子胥解下剑来酬谢渔父，渔父拒而不受。

⑲韩生尝窃贾公香：武帝赐给贾充异香，他的女儿与韩寿沟通，偷香给人祝寿。贾充发觉后，帮他守着秘密，并把女儿许配给韩寿。

八庚

深对浅，重对轻。有影对无声。蜂腰对蝶翅，宿醉对馀酲。天北缺[①]，日东生[②]。独卧对同行。寒冰三尺厚，秋月十分明。万卷书容闲客览，一樽酒待故人倾。心侈唐玄，厌看霓裳之曲[③]；意骄陈主，饱闻玉树之赓[④]。

虚对实，送对迎。后甲[⑤]对先庚[⑥]。鼓琴对舍瑟，搏虎[⑦]对骑鲸[⑧]。金匼匝[⑨]，玉玲琤[⑩]。玉宇[⑪]对金茎[⑫]。花间双粉蝶，柳内几黄莺。贫里每甘藜藿[⑬]味，醉中厌听管弦声。肠断秋闺，凉吹已侵重被冷；梦惊晓枕，残蟾犹照半窗明。

渔对猎，钓对耕。玉振对金声[⑭]。雉城对雁塞，柳袅对葵倾。吹玉笛，弄银笙。阮杖[⑮]对桓筝。墨呼松处士，纸号楮先生。露浥好花潘岳县[⑯]，风搓细柳亚夫营[⑰]。抚动琴弦，遽觉座中风雨至[⑱]；哦成诗句，应知窗外鬼神惊[⑲]。

【注释】

①天北缺：相传，天由四座大山支撑起来，西北方由不周山支撑。后共工生气而撞垮了支撑物，所以西北方缺了支撑物，天不满西北。

②东生：日生于东而没于西。

③霓裳之曲：唐明皇曾游月宫，有幸见到了霓裳羽衣之曲，回来之后选宫娥数十人练习。

④玉树之赓（gēng）：陈后主作《玉树后庭花》，后人认为这是亡国之音。

⑤后甲：甲日中的后三天。

⑥先庚：指天干庚前的三日。

⑦搏虎：打虎，比喻有勇气和力量或气势磅礴。

⑧骑鲸：西汉扬雄《羽猎赋》有“乘巨鳞，骑鲸鱼”，后多用“骑鲸”代指仙人，豪客。

⑨金匼匝（kē zā）：马笼头。

⑩玉瑽琤（cōng chēng）：玉石的敲击声。

⑪玉宇：指天上的宫殿。翟乾佑曾与人玩月，有一次别人问他：月中有什么呢？翟乾佑说：“随我手中看之。”但见月规半圆，琼楼玉宇耸立。

⑫金茎：指用以承托承露盘的金属铜柱。汉代班固《西都赋》：“抗仙掌以承露，擢双立之金茎。”

⑬藜藿：野菜。

⑭玉振、金声：以喻声名远扬。

⑮阮杖：阮修常常步行，在杖头上挂百钱，到酒店畅饮。

⑯露浥好花潘岳县：晋代潘岳为河阳令，他命人满县栽花。

⑰风搓细柳亚夫营：西汉大将周亚夫屯兵于细柳营。

⑱抚动琴弦，遽觉座中风雨至：晋代师旷抚清角之琴，风雨忽至。

⑲哦成诗句，应知窗外鬼神惊：贺知章读到了李白的《乌栖曲》，感叹道："此诗可泣鬼神矣。"

九青

红对紫，白对青。渔火对禅灯。唐诗对汉史，释典对仙经。龟曳尾①，鹤梳翎②。月榭对风亭。一轮秋夜月，几点晓天星。晋士只知山简醉③，楚人谁识屈原醒④。绣倦佳人，慵把鸳鸯文作枕；吮毫画者，思将孔雀写为屏。

行对坐，醉对醒。佩紫对纡青。棋枰对笔架，雨雪对雷霆。狂蛱蝶，小蜻蜓。水岸对沙汀。天台孙绰赋⑤，剑阁孟阳铭⑥。传信子卿⑦千里雁，照书车胤一囊萤⑧。冉冉白云，夜半高遮千里月；澄澄碧水，宵中寒映一天星。

书对史，传对经。鹦鹉对鹡鸰⑨。黄茅对白荻，绿草对青萍。风绕铎⑩，雨淋铃⑪。水阁对山亭。渚莲千朵白，岸柳两行青。汉代宫中生秀柞⑫，尧时阶畔长祥蓂⑬。一枰决胜，棋子分黑白；半幅通灵，画色间丹青。

【注释】

①龟曳尾：《庄子·秋水》："此龟者，宁其为

留骨而贵乎，宁其生而曳尾于涂中乎？”

②鹤梳翎：宋代苏轼有诗云：“风松时落叶，病鹤不梳翎。”翎，羽毛。

③山简醉：晋代的山简嗜酒，人号“醉山翁”。

④屈原醒：屈原曾说：“世人皆醉而我独醒。”

⑤天台孙绰赋：东晋的孙绰写有《游天台山赋》。

⑥剑阁孟阳铭：晋代的张载，字孟阳，过剑阁作《剑阁铭》。

⑦子卿：苏武。

⑧车胤（yìn）一囊萤：车胤家贫，常常捉很多萤火虫，以缣囊之，照书夜读。

⑨鹡鸰（jí líng）：鸟名。

⑩风绕铎：嵎阳宫在竹林内悬碎玉，名占风铎。

⑪雨淋铃：明皇到蜀地，遇到下雨近半月，在栈道中听见铃声，悼念杨贵妃而作《雨淋铃》。

⑫汉代宫中生秀柞（zuò）：汉代宫中有五柞连内，五柞连抱。

⑬尧时阶畔长祥蓂（míng）：相传唐尧时阶下生了蓂荚，每月第一天开始每天生一叶，到十五日全生。十五后每天落一叶，三十日落完。

十蒸

新对旧，降对升。白犬对苍鹰。葛巾对藜杖，涧水对池冰。张兔网，挂鱼罾。燕雀对鹏鹍[①]。炉中煎药火，窗下读书灯。织锦逐梭成舞凤[②]，画屏误笔作飞蝇[③]。宴客刘公，座上满斟三雅爵[④]；迎仙汉帝，宫中高插九光灯[⑤]。

儒对士，佛对僧。面友对心朋。春残对夏老，夜寝对晨兴。千里马，九霄鹏。霞蔚对云蒸。寒堆阴岭雪，春泮水池冰。亚父愤生撞玉斗[⑥]，周公誓死作金縢[⑦]。将军元晖[⑧]，莫怪人讥为饿虎；侍中卢昶[⑨]，难逃世号作饥鹰。

规对矩，墨对绳。独步[⑩]对同登。吟哦对讽咏，访友对寻僧。风绕屋，水襄陵[⑪]。紫鹄对苍鹰。鸟寒惊夜月，鱼暖上春冰[⑫]。扬子口中飞白凤[⑬]，何郎鼻上集青蝇[⑭]。巨鲤跃池，翻几重之密藻；颠猿饮涧，挂百尺之垂藤。

【注释】

①鹏鹍：传说中的大鸟名。

②舞凤：《邺中记》："锦蜀有凤凰锦。"

③画屏误笔作飞蝇：曹丕画屏风，不小心落了一个墨点，因就这个墨点画了一只小蝇。孙权以为是真蝇，用手弹它。

④宴客刘公，座上满斟三雅爵：传说刘表有三种酒杯，大的叫伯雅，次的叫仲雅，小的叫季雅，宾客可以随意取用。

⑤迎仙汉帝，宫中高插九光灯：汉武帝在宫中迎接王母，点燃九光之灯。

⑥亚父愤生撞玉斗：汉王献玉斗给范增，范增很生气，撞碎了玉斗。

⑦周公誓死作金縢（téng）：周武王生病了，周公打算以身代武王去死。记载他把祝册之文，与事之始末合为一篇，藏在金縢之柜，后来成王打开看到了文章。

⑧元晖：北魏将军。

⑨卢昶：北魏侍中。

⑩独步：独自行走。

⑪襄陵：大水漫过丘陵。

⑫鱼暖上春冰：《月令》中说：“孟春之月鱼上冰。”

⑬扬子口中飞白凤：扬雄著《太玄经》，梦见口中吐白凤凰停集于《太玄经》之上，一会儿才消失。

⑭何郎鼻上集青蝇：三国魏国吏部尚书何宴，梦见青蝇集于鼻端，管辂说：位置太高一定会掉下来。

十一尤

荣对辱，喜对忧。夜宴[1]对春游[2]。燕关对楚水，蜀犬[3]对吴牛[4]。茶敌睡，酒消愁。青眼对白头。马迁修史记[5]，孔子作春秋[6]。适兴子猷常泛棹[7]，思归王粲强登楼[8]。窗下佳人，妆罢重将金插鬓；筵前舞妓，曲终还要锦缠头[9]。

唇对齿，角对头。策马对骑牛。毫尖对笔底，绮阁对雕楼。杨柳岸，荻芦洲。语燕对啼鸠。客乘金络马[10]，人泛木兰舟[11]。绿野耕夫春举耜，碧池渔父晚垂钩。波浪千层，喜见蛟龙得水；云霄万里，惊看雕鹗横秋。

庵对寺，殿对楼。酒艇对渔舟。金龙对彩凤，豮豕[12]对童牛[13]。王郎帽[14]，苏子裘[15]。四季对三秋。峰峦扶地秀，江汉接天流。一湾绿水渔村小，万里青山佛寺幽。龙马呈河，羲皇阐微而画卦[16]；神龟出洛，禹王取法以陈畴[17]。

【注释】

①夜宴：晚上的宴会。

②春游：春天的郊游。

③蜀犬：在蜀国的南方，经常下雨很少出太阳，所以只要太阳出来，狗就会叫。

④吴牛：吴地的水牛惧怕炎炎烈日，见到月亮疑为太阳，所以也不断喘气。

⑤马迁修史记：司马迁作《史记》。

⑥孔子作春秋：孔子根据鲁国史书作《春秋》。

⑦适兴子猷常泛棹：王子猷在一天雪夜，泛舟去访问戴安道，经过一个晚上才到戴安道的家，结果他到了门前却不进去，开始返回。别人很奇怪问他，他回答说："本乘兴而行，兴尽而反，又何必要见安道呢。"

⑧思归王粲强登楼：东汉末年的王粲逃难到荆州投奔刘表，登上江陵城楼时，想到自己无家可归。王粲思乡心切，遂作《登楼赋》。

⑨锦缠头：泛指赠送给女伎的财物。

⑩金络马：用黄金笼头装饰的马。络，马笼头。

⑪木兰舟：木兰树为材料制作的舟。

⑫豮（fén）豕：阉猪。

⑬童牛：未长角的牛。

⑭王郎帽：王濛长得很帅，每次他出去逛街，都有很多少女喜爱他，看见他的帽子破了，都打算送给他新帽。

⑮苏子裘：苏秦说秦不行，旷日持久，黑貂做的袍子都坏了。

⑯龙马呈河，羲皇阐微而画卦：相传龙马背着河图从河中出来，伏羲因画八卦。

⑰神龟出洛，禹王取法以陈畴：神龟背着洛书从洛水出来，夏禹法根据洛书写成了《九畴》。

十二侵

眉对目，口对心。锦瑟对瑶琴。晓耕对寒钓，晚笛对秋砧。松郁郁，竹森森。闵损[1]对曾参[2]。秦王亲击缶，虞帝自挥琴。三献卞和尝泣玉[3]，四知杨震固辞金[4]。寂寂秋朝，庭叶因霜摧嫩色；沉沉春夜，砌花随月转清阴。

前对后，古对今。野兽对山禽。犍牛[5]对牝马[6]，水浅对山深。曾点瑟[7]，戴逵琴[8]。璞玉对浑金。艳红花弄色，浓绿柳敷阴。不雨汤王方剪爪[9]，有风楚子正披襟[10]。书生惜壮岁韶华，寸阴尺璧；游子爱良宵光景，一刻千金。

丝对竹，剑对琴。素志对丹心。千愁对一醉，虎啸对龙吟。子罕玉[11]，不疑金[12]。往古对来今。天寒邹吹律[13]，岁旱傅为霖[14]。渠说子规为帝魄，侬知孔雀是家禽[15]。屈子沉江，处处舟中争系粽[16]；牛郎渡渚，家家台上竞穿针[17]。

【注释】

①闵损：孔子弟子，字子骞。

②曾参：孔子弟子，字子舆。

③三献卞和尝泣玉：卞和曾给楚王献玉，献了三次，却两次被人砍去足，卞和抱玉而哭。

④四知杨震固辞金：汉代杨震为青州刺史，他举荐秀才王密。王密晚上怀里揣着金子来拜谒杨震，以表示酬谢。杨震生气地说："我了解你，你还不了解我吗？"王密说："夜无人知。"杨震说："天知，地知，子知，我知，怎么能说无人知？"当即拒绝了。

⑤犍（jiān）牛：阉过的牛。

⑥牝马：母马。

⑦曾点瑟：孔子问曾点有何志向，曾点停瑟作答，孔子极为赏识。

⑧戴逵琴：戴逵擅长弹琴，武陵王召他，他不去，当着使者的面把琴摔碎了。

⑨不雨汤王方剪爪：汤时大旱，很久都不下雨，汤王剪了自己的指甲和头发，在桑林祷告，以六事自责，天于是下雨。

⑩有风楚子正披襟：楚襄王在兰台的宫殿游玩，有大风突然刮来，襄王披襟当风。

⑪子罕玉：宋人献玉给子罕，子罕不接受，说：我以不贪为宝。

⑫不疑金：直不疑为郎官时，和他一起居住的人回家，误拿了别人的金子回去。金子的主人怀疑是直不疑拿了他的金子，直不疑立刻拿自己的金子偿还给他。后来回家的人回来了，归还了金子。先前丢金子的人很惭愧，从此称直不疑为长者。

⑬天寒邹吹律：出自《韵略》，“燕有寒谷，黍稷不生。邹衍吹律，暖气乃至，草木皆生”。

⑭岁旱傅为霖：商王武丁任用傅说为相，对他说：如果遇到大旱，我就把你当作一场缓解旱情的大雨。

⑮侬知孔雀是家禽：杨德祖九岁那年，孔君平到他的家，杨家用杨梅款待。孔君平指杨梅说：这是你家的水果啊。杨德祖回答说：从来没有听说过孔雀是家禽的。侬，我。

⑯屈子沉江，处处舟中争系粽：屈原五月五日沉江，楚人为了纪念他的忠义，把米包在粽叶中，怀念他。

⑰牛郎渡渚，家家台上竞穿针：相传，七夕牛郎织女相会，唐宫中要在这一天作高台，摆上瓜果，宫女在暗处执针穿之，穿过者就以为得天孙之巧云。

十三覃

千对百，两对三。地北对天南。佛堂对仙洞，道院对禅庵。山泼黛，水浮蓝。雪岭对云潭。凤飞方翙翙[1]，虎视已眈眈[2]。窗下书生时讽咏，筵前酒客日耽酣[3]。白草满郊，秋日牧征人之马；绿桑盈亩，春时供农妇之蚕。

将对欲，可对堪。德被对恩覃。权衡对尺度，雪寺对云庵。安邑枣[4]，洞庭柑[5]。不愧对无惭。魏徵能直谏[6]，王衍善清谈[7]。紫梨[8]摘去从山北，丹荔传来自海南。攘鸡非君子所为，但当月一[9]；养狙是山公之智，止用朝三[10]。

中对外，北对南。贝母[11]对宜男[12]。移山对浚井，谏苦对言甘。千取百[13]，二为三[14]。魏尚[15]对周堪[16]。海门翻夕浪，山市拥晴岚。新缔直投公子纻[17]，旧交犹脱馆人骖[18]。文达淹通，已咏冰兮寒过水[19]；永和博雅，可知青者胜于蓝[20]。

【注释】

①翙翙（huì）：鸟羽飞动之声。

②眈眈：贪婪而凶狠地注视。

③耽酣：耽，沉溺。酣，喝酒喝得痛快。

④安邑枣：安邑出产枣子。《史记·货殖列传》中记载："安邑千树枣，燕秦千树栗。"

⑤洞庭柑：一种优质的柑橘。《广志》："洞庭以南多产柑。"

⑥魏徵能直谏：魏徵事太宗，能直谏，先后直谏两百多件事。

⑦王衍善清谈：西晋大臣王衍，字夷甫，曾挥尘清谈虚无，遇到义理有所不正确的，随口更改，人称信口雌黄。

⑧紫梨：相传，涂山有梨，大如瓜，紫色，千年才开花结果。

⑨攘鸡非君子所为，但当月一：孟子说："有一小偷每天都要偷邻居的鸡，有人对他说：这不是君子的行为。小偷说：请允许我减少偷鸡的次数，每月偷一只鸡，再减少到每年偷一只鸡，最后我就不偷了。"

⑩养狙是山公之智，止用朝三：狙公养猴子，每天分给猴子橡子，早上三个晚上四个；众猴很生气，后来改成早上四个晚上三个，众猴都很高兴。

⑪贝母：药名。

⑫宜男：萱草的别称。

⑬千取百：《孟子·梁惠王上》中记载："万乘之国，弑其君者，必千乘之家；千乘之国，弑其君者，必百乘之家。万取千焉，千取百焉，不为不多矣。"

⑭二为三：二和一相加得三。《庄子·齐物论》中说："一与一为二,二与一为三，自此以往巧历不能得，而况其凡乎。"

⑮魏尚：汉兴平人，拜云中郡太守。

⑯周堪：字少卿，在于石渠阁讲书经。

⑰新缔直投公子纻（zhù）：春秋时的季札去见郑执政子产，就像是已经认识很久了，便赠子产缟带，子产回赠给季札纻麻之衣。

⑱旧交犹脱馆人骖：孔子到卫国时，遇到曾经住的馆所的人有丧事，就让子贡帮忙。

⑲文达淹通，已咏冰兮寒过水：盖文通师从于刘焯学习，后来精通经史子集，远胜刘焯，人称："冰生于水而寒于水。"

⑳永和博雅，可知青者胜于蓝：李谧初师从孔璠，数年后，璠就谧请业。门人说：青出于蓝而胜于蓝。

十四盐

悲对乐，爱对嫌。玉兔对银蟾[1]。醉侯[2]对诗史[3]，眼底对眉尖。风飘飘[4]，雨绵绵。李苦对瓜甜。画堂施锦帐，酒市舞青帘[5]。横槊赋诗传孟德[6]，引壶酌酒尚陶潜[7]。两曜[8]迭明，日东生而月西出；五行[9]式序，水下润而火上炎。

如对似，减对添。绣幕对朱帘。探珠对献玉，鹭立对鱼潜。玉屑饭[10]，水晶盐[11]。手剑对腰镰。燕巢依邃阁，蛛网挂虚檐。夺槊至三唐敬德[12]，弈棋第一晋王恬[13]。南浦客归，湛湛春波千顷净；西楼人悄，弯弯夜月一钩纤。

逢对遇，仰对瞻。市井对闾阎。投簪对结绶，握发对掀髯。张绣幕，卷珠帘。石碏[14]对江淹[15]。宵征方肃肃[16]，夜饮已厌厌[17]。心褊小人长戚戚，礼多君子屡谦谦。美刺殊文，备三百五篇诗咏；吉凶异画，变六十四卦爻占。

【注释】

①玉兔、银蟾：都是月亮的别称。

②醉侯：指刘伶，他嗜酒如命。

③诗史：唐代诗人元稹称杜甫的诗大多反映当时的社会现象。

④䬟䬟（xí xí）：风吹的样子。

⑤帘：酒旗。

⑥横槊（shuò）赋诗传孟德：苏轼在《前赤壁赋》中，形容曹操在赤壁之战前夕志得意满的气势，说："酾酒临江，横槊赋诗，固一世之雄也。"

⑦引壶酌酒尚陶潜：陶潜《归去来兮辞》云："引壶觞而自酌。"

⑧两曜：指日、月。

⑨五行：金、木、水、火、土。

⑩玉屑饭：像玉屑一样的饭。

⑪水晶盐：像水晶一样的盐。

⑫夺槊至三唐敬德：尉迟敬德擅长夺取对手的槊，皇帝的儿子齐王李元吉擅长用槊，皇帝命令他们二人比赛，敬德三次夺去李元吉的槊。

⑬弈棋第一晋王恬：王恬，王导次子，擅长下棋。

⑭石碏：春秋时卫国大夫。

⑮江淹：南朝文学家。

⑯宵征方肃肃：晚上急速行路。《诗经·召南·小星》："肃肃宵征，夙夜在公。"

⑰夜饮已厌厌：晚上安闲喝酒。《诗经·小雅·湛露》："厌厌夜饮，不醉无归。"

十五咸

清对浊，苦对咸。一启对三缄[1]。烟蓑对雨笠，月榜对风帆。莺睍睆[2]，燕呢喃[3]。柳杞对松杉。情深悲素扇[4]，泪痛湿青衫[5]。汉室既能分四姓[6]，周朝何用叛三监[7]。破的而探牛心，豪矜王济[8]；竖竿以挂犊鼻，贫笑阮咸[9]。

能对否，圣对贤。卫瓘[10]对浑瑊[11]。雀罗对鱼网，翠巘[12]对苍崖。红罗帐，白布衫，笔格对书函。蕊香蜂竞采，泥软燕争衔。凶孽誓清闻祖逖[13]，王家能乂有巫咸[14]。溪叟新居，渔舍清幽临水岸；山僧久隐，梵宫寂寞倚云岩。

冠对带，帽对衫。议鲠对言谗。行舟对御马，俗弊对民碞[15]。鼠且硕[16]，兔多毚。史册对书缄。塞城闻奏角，江浦认归帆。河水一源形弥弥[17]，泰山万仞势岩岩[18]。郑为武公，赋缁衣而美德[19]；周因巷伯，歌贝锦以伤谗[20]。

【注释】

①三缄：形容说话谨慎。孔子观看周庙，有金人三缄其口，而铭其背，说："古代的谨言人啊。"

②晛睆（xiàn huǎn）：美好貌。《诗经·邶风·凯风》："晛睆黄鸟，载好其音。"

③呢喃：形容如燕子的叫声一样轻声细语。

④情深悲素扇：汉代班婕妤受汉成帝宠爱，后被冷落，于是作《团扇歌》以表达被弃的悲伤。

⑤泪痛湿青衫：白居易为江州司马，作《琵琶行》诗云："座中泣下谁最多，江州司马青衫湿。"

⑥四姓：东汉外戚樊、郭、阴、马四姓。

⑦三监：周武王用他的弟弟管叔、蔡叔、霍叔分治殷商之民，称"三监"。后来他们反助武庚为敌以叛周。

⑧破的而探牛心，豪矜王济：王恺牛名八百里骏，王济用钱千万与他对赌。王济先射，一发破的。因叫左右：速探牛心来。

⑨竖竿以挂犊鼻，贫笑阮咸：阮咸居住在道南，其他阮姓人居住在道北，北阮的人都很富裕。七月七日流行晒衣，大家晒的都是纱罗锦绮。阮咸用竿挂大布犊鼻裈，也在庭中晒，还说："不能免

去习俗啊。”

⑩卫瓘（guàn）：晋尚书令。

⑪浑瑊（jiān）：唐尚书。

⑫巘（yǎn）：高山。

⑬凶孽誓清闻祖逖（tì）：祖逖初北渡江，击楫发誓说：“不清中原而复济者，有如此水。”

⑭巫咸：传说中的神巫。

⑮嵒（yán）：不守规矩。

⑯鼠且硕：大鼠。

⑰弥弥：水深且满。

⑱岩岩：高峻。

⑲郑为武公，赋缁衣而美德：郑桓公、武公相继为周司徒，恪尽职守，周人爱戴他们，作缁衣来歌颂他们的美德。

⑳周因巷伯，歌贝锦以伤谗：巷伯在幽王时有被谗遭宫刑者，于是唱“贝锦”之词来表达悲伤之情。

笠翁对韵

〔清〕李渔

上卷

一东

天对地，雨对风。大陆对长空。山花对海树，赤日对苍穹。雷隐隐，雾蒙蒙。日下对天中。风高秋月白，雨霁晚霞红。牛女[①]二星河左右，参商[②]两曜斗[③]西东。十月塞边，飒飒寒霜惊戍旅；三冬江上，漫漫朔雪冷渔翁。

河对汉[④]，绿对红。雨伯对雷公[⑤]。烟楼对雪洞，月殿对天宫。云叆叇[⑥]，日曈曚[⑦]。蜡屐[⑧]对渔篷。过天星似箭，吐魄月[⑨]如弓。驿旅客逢梅子雨[⑩]，池亭人挹[⑪]藕花风。茅店村前，皓月坠林鸡唱韵；板桥路上，青霜锁道马行踪。

山对海，华对嵩。四岳[⑫]对三公[⑬]。宫花对禁柳，塞雁对江龙。清暑殿[⑭]，广寒宫。拾翠[⑮]对题红[⑯]。庄周梦化蝶，吕望兆飞熊[⑰]。北牖当风停夏扇，南帘曝日省冬烘[⑱]。鹤舞楼头，玉笛弄残仙子月；

凤翔台上，紫箫吹断美人风。

【注释】

①牛女：牛郎、织女二星。《古诗十九首》云："迢迢牵牛星，皎皎河汉女。"

②参商：参和商为二十八星宿中的两宿。参宿在东方，商宿在西方，古人把很难相逢的人比喻成参商。传说高辛氏有二子，大的叫阏，小的叫沉。兄弟俩相处不和睦，常常打架。于是帝把阏分配到商丘，主管辰；把沉迁到大夏，主管参，让他们永不相遇。

③斗：二十八星宿中的斗宿。

④河：黄河。汉：汉水。

⑤雨伯、雷公：古代神话中的雨神和雷神。

⑥叆叇（ài dài）：形容浓云蔽日的样子。

⑦曈曚（tóng méng）：日初出天空将明未明之状。

⑧蜡屐（jī）：一种鞋底有齿的木鞋。

⑨吐魄月：新月。古人不理解月亮的阴晴圆缺，以为是月里的蟾蜍，反复吞吐造成的，故说吐魄月。

⑩梅子雨：黄梅雨。江南梅子成熟时，常阴雨绵绵，故称“黄梅雨”。

⑪挹（yì）：酌酒。

⑫四岳：指东岳泰山、西岳华山、南岳衡山、北岳恒山。

⑬三公：星名。

⑭清暑殿：三国孙吴有避暑宫，夏日清凉无暑气。

⑮拾翠：拾到像翡翠一样的羽毛，后来青年妇女采集鲜花野草也叫作拾翠。

⑯题红：唐僖宗时士人于祐，一天偶然中从御沟捡到一片红叶，上面有诗：“流水何太急，深宫尽日闲。殷勤谢红叶，好去到人间。”于祐见了，于是和了两句：“曾闻叶上题红怨，叶上题诗寄阿谁？”放在上游，红叶随水又流入宫中。后来，于祐娶得宫中韩夫人为妻，谈到此事，其妻倍感惊异，原来当年题诗红叶的就是她。于是她又题了一首诗：“一联佳句随流水，十载幽思满素怀。今日却成鸾凤友，方知红叶是良媒。”

⑰吕望兆飞熊：商末时，吕望（即太公望，姜尚）常在渭河之滨垂钓。一日，周文王狩猎，

占卜一卦，卦象显示：“非龙非螭，非虎非罴，所获霸王之辅。”后来他果然在渭阳遇到了吕望。

⑱冬烘：原意是指人头脑不清，这里借指冬天的火炉。

二冬

晨对午，夏对冬。下饷对高舂[1]。青春对白昼，古柏对苍松。垂钓客，荷锄翁。仙鹤对神龙。凤冠珠闪烁，螭带[2]玉玲珑。三元及第[3]才千顷，一品当朝禄万钟。花萼楼[4]间，仙李盘根调国脉；沉香亭[5]畔，娇杨[6]擅宠起边风。

清对淡，薄对浓。暮鼓对晨钟。山茶对石菊，烟锁对云封。金菡萏[7]，玉芙蓉。绿绮[8]对青锋[9]。早汤先宿酒，晚食继朝饔[10]。唐库金钱能化蝶[11]，延津宝剑会成龙[12]。巫峡浪传，云雨荒唐神女庙[13]；岱宗遥望，儿孙罗列丈人峰[14]。

繁对简，叠对重。意懒对心慵。仙翁对释伴，道范对儒宗。花灼灼，草茸茸。浪蝶对狂蜂。数竿君子竹[15]，五树大夫松[16]。高皇灭项凭三杰[17]，虞帝承尧殛四凶[18]。内苑佳人，满地风光愁不尽；边关过客，连天烟草憾无穷。

【注释】

①高舂：傍晚时分。

②螭（chī）带：带钩上雕了螭龙的玉带。

③三元及第：封建科举考试分为乡试、会试、殿试。如果三次考试都是第一名，叫三元，即解元、会元、状元。

④花萼楼：唐明皇在兴庆宫建了花萼楼，他们兄弟五人时常宴乐其间。

⑤沉香亭：唐朝兴庆宫中的一座亭台。

⑥娇杨：指杨贵妃杨玉环，唐明皇宠她而导致安史之乱。

⑦菡萏：荷花的别名。芙蓉也是荷花的别名。

⑧绿绮：古琴名。

⑨青锋：宝剑名。

⑩饔（yōng）：熟食。朝饔，即早饭。

⑪唐库金钱能化蝶：传说唐穆宗举办晚宴，有黄色白色蝴蝶飞于花间，宫女捉了几只，天亮发现蝴蝶变成了金银。后来打开宝橱，发现蝴蝶都是库中金银所化。

⑫延津宝剑会成龙：晋代雷焕掘得一双宝剑，送张华其中一把。后来张华死了，张华手中的那柄

玉剑也消失了。有一天，雷焕过延平津，他的宝剑突然自己跃入水中，化龙而去。

⑬神女庙：传说楚襄王游历高唐，梦见巫山神女，朝云暮雨，后襄王为此修庙，为朝云庙。

⑭丈人峰：在泰山上，唐代杜甫《望岳》诗："西岳危峻竦处尊，诸峰罗立如儿孙。"

⑮君子竹：古人认为竹子劲节虚心，有君子德。

⑯大夫松：秦始皇登泰山，避雨在松下，封这棵松为"五大夫"。

⑰三杰：指萧何、韩信、张良。

⑱四凶：指共工、驩兜、三苗、鲧四人。

三江

奇对偶，只对双。大海对长江。金盘对玉盏，宝烛对银釭[1]。朱漆槛，碧纱窗。舞调对歌腔。兴汉推马武[2]，谏夏著龙逄[3]。四收列国[4]群王伏，三筑高城[5]众敌降。跨凤登台，潇洒仙姬秦弄玉；斩蛇[6]当道，英雄天子汉刘邦。

颜对貌，像对庞。步辇[7]对徒杠[8]。停针对搁筑，意懒对心降[9]。灯闪闪，月幢幢。揽辔[10]对飞舡[11]。柳堤驰骏马，花院吠村尨[12]。酒量微酡琼杏颊，香尘没印玉莲[13]双。诗写丹枫，韩女幽怀流御水；泪弹斑竹，舜妃遗憾积湘江[14]。

【注释】

①银釭：银烛。

②马武：汉光武帝的将军。

③龙逄：关龙逄，夏桀的大臣。

④四收列国：宋代大将曹彬平定南唐、西蜀、南汉、北汉四国。

⑤三筑高城：唐代张仁愿曾筑三座受降城，以威镇突厥。

⑥斩蛇：刘邦曾在芒砀山斩一白蛇。

⑦步辇：皇帝坐的人力拉的车子。

⑧徒杠：可供徒步行走的轿子。

⑨心降：心里安稳。

⑩揽辔：控制马的绳子。

⑪飞舡（xiāng）：指船。

⑫村尨（máng）：村狗。

⑬玉莲：喻女人的脚。

⑭泪弹斑竹，舜妃遗憾积潇江：神话传说，舜帝出去巡视，却死在了苍梧之野，他的妻子娥皇、女英日日啼哭，泪洒竹上形成斑点，就是今天的湘妃竹。

四支

泉对石，干对枝。吹竹对弹丝。山亭对水榭，鹦鹉对鸬鹚。五色笔[①]，十香词[②]。泼墨对传卮[③]。神奇韩幹[④]画，雄浑李陵[⑤]诗。几处花街新夺锦[⑥]，有人香径淡凝脂。万里烽烟，战士边头争保塞；一犁膏雨，农夫村外尽乘时[⑦]。

菹对醢[⑧]，赋对诗。点漆对描脂。璠簪对珠履，剑客对琴师。沽酒价[⑨]，买山资[⑩]。国色对仙姿。晚霞明似锦，春雨细如丝。柳绊长堤千万树，花横野寺两三枝。紫盖黄旗，天象预占江左地[⑪]；青袍白马，童谣终应寿阳儿[⑫]。

箴对赞，缶对卮。萤照对蚕丝。轻裾对长袖，瑞草对灵芝。流涕策[⑬]，断肠诗[⑭]。喉舌对腰肢。云中熊虎将，天上凤凰儿。禹庙千年垂橘柚，尧阶三尺覆茅茨。湘竹含烟，腰下轻纱笼玳瑁；海棠经雨，脸边青泪湿胭脂。

争对让，望对思。野葛对山栀。仙风对道骨，天造对人为。专诸剑[⑮]，博浪椎[⑯]。经纬对干支。位尊民物主，德重帝王师。望切不妨人去远，心忙无奈马行迟。金屋闲来，赋乞茂林[17]题柱[18]笔；玉楼成后，记须昌谷负囊词[19]。

【注释】

①五色笔：相传江淹梦见郭璞，送给他五色笔，江淹才思大进。又传李白少时曾梦见笔生花，后来天才赡逸，名闻天下。

②十香词：辽国萧后才貌双全，耶律乙辛叫人作《十香词》，用来诬害她与伶人私通。皇帝相信了，并赐她自尽而死。

③传卮（zhī）：传盛酒的器具。

④韩幹：唐代著名画家，善于画马。

⑤李陵：西汉将领，李广之孙。

⑥夺锦：武则天驾临龙门，让大臣们以“明堂火珠”为题写诗。谁先写成，谁就可以获得锦袍。东方虬最先完成，稍后宋之问也完成。但是后者比前者写得好。武则天命令夺取原本已经赏给东方虬的锦袍，赏给了宋之问，这就是夺锦的故事。

⑦乘时：利用有利时机。

⑧菹（zū）、醢（hǎi）：菹，古代的一种酷刑，将人剁成肉酱。醢，肉酱。

⑨沽酒价：阮修常常步行，在杖头上挂百钱，到酒店畅饮。

⑩买山资：东晋僧人支道林到深公那里去买邱山，深公说："从来没有听说过买山来隐居的"。

⑪紫盖黄旗，天象预占江左地：三国末年吴主孙皓时，有术士说"庚子之年，紫盖黄旗，当入于洛"，孙皓以为平晋。但事实是他于庚子之年被俘入洛阳。

⑫青袍白马，童谣终应寿阳儿：相传南朝梁武帝时，有童谣唱道："青袍白马寿阳儿。"不久，寿阳的侯景发动叛乱，叛军中都是青袍白马，最终梁朝灭亡。

⑬流涕策：西汉贾谊在《陈政事疏》中说："臣窃惟事势，可为痛哭者一，可为流涕者二，可为长太息者六。"

⑭断肠诗：宋代女诗人朱淑贞的诗词多幽愤哀伤的情调，后人将她的作品整理为诗集《断肠诗集》、词集《断肠词》。

⑮专诸剑：伍子胥向公子光推荐专诸，专诸把剑藏在鱼中，以刺吴王。

⑯博浪椎：张良让壮士于博浪用铁椎打秦始皇，结果误中副车。

⑰赋乞茂林：陈皇后阿娇因嫉妒遭贬，独居长门宫。听说司马相如文采了得，遂出百金，请相如作《长门赋》以感动皇帝。

⑱题柱：司马相如刚去长安，过成都升仙桥时，在柱子上题诗：“不乘高车驷马，不过此桥。”

⑲负囊词：相传李贺每天出门，常让小童背一个破锦囊。每次得到好的诗句，立即写下了，放入囊中。昌谷：李贺诗集名。

五微

贤对圣，是对非。觉奥对参微[1]。鱼书对雁字[2]，草舍对柴扉。鸡晓唱，雉朝飞。红瘦对绿肥。举杯邀月饮，骑马踏花归。黄盖[3]能成赤壁捷，陈平[4]善解白登危。太白书堂，瀑泉垂地三千丈；孔明祀庙，老柏参天四十围。

戈对甲，幄对帏。荡荡对巍巍。严滩[5]对邵圃[6]，靖菊[7]对夷薇[8]。占鸿渐，采凤飞。虎榜对龙旗。心中罗锦绣，口内吐珠玑。宽宏豁达高皇[9]量，叱咤喑哑霸王[10]威。灭项兴刘，狡兔尽时走狗死；连吴拒魏，貔貅屯处卧龙[11]归。

衰对盛，密对稀。祭服对朝衣。鸡窗[12]对雁塔[13]，秋榜对春闱[14]。乌衣巷，燕子矶。久别对初归。天姿真窈窕，圣德实光辉。蟠桃紫阙来金母[15]，岭荔红尘进玉妃[16]。霸王军营，亚父丹心撞玉斗；长安酒市，谪仙狂兴换银龟[17]。

【注释】

①觉奥、参微：弄懂深奥微小的道理。

②鱼书、雁字：书信。

③黄盖：东吴孙权将领。

④陈平：汉高祖刘邦的谋臣。

⑤严滩：指汉代隐士严子陵钓鱼处。

⑥邵圃：秦代东陵侯邵平弃官种瓜的园圃。

⑦靖菊：陶潜采菊东篱下，死后被称为“靖节”。

⑧夷薇：商代末伯夷叔齐，隐于首阳山，采薇而食。

⑨高皇：指汉高祖刘邦。

⑩霸王：指西楚霸王项羽。

⑪卧龙：三国时的诸葛亮。

⑫鸡窗：相传晋代宋处宗与窗外的鸡谈天说话，学问大进。

⑬雁塔：唐代丰肇及第，偶尔在慈恩寺雁塔题名，后成为风俗，后人竞相模仿。

⑭秋榜、春闱：封建社会科举考试的春、秋两场考试。

⑮金母：西王母。

⑯岭荔红尘进玉妃：唐代杨贵妃喜欢吃新鲜的荔枝，唐太宗命人岭南供送，要求七日到达长安。唐杜牧《过华清宫绝句》诗：“一骑红尘妃子笑，无人知是荔枝来。”

⑰换银龟：唐代李白进长安后，贺知章一看到李白风度翩翩的样子，惊叹道：“此天上谪仙人也！”李白于是解下银龟换酒。

六鱼

羹对饭，柳对榆。短袖对长裾。鸡冠对凤尾，芍药对芙蕖。周有若[①]，汉相如[②]。王屋对匡庐。月明山寺远，风细水亭虚。壮士腰间三尺剑，男儿腹内五车书[③]。疏影暗香，和靖[④]孤山梅蕊放；轻阴清昼，渊明旧宅柳条舒。

吾对汝，尔对余。选授[⑤]对升除[⑥]。书箱对药柜，耒耜对耰锄。参[⑦]虽鲁，回[⑧]不愚。阀阅对阎闾。诸侯千乘国，命妇七香车。穿云采药[⑨]闻仙子，踏雪寻梅[⑩]策蹇驴。玉兔金乌，二气精灵为日月；洛龟河马[⑪]，五行生克在图书。

欹对正，密对疏。囊橐对苞苴[⑫]。罗浮[⑬]对壶峤[⑭]，水曲对山纡。骖鹤驾，待鸾舆。桀溺对长沮[⑮]。搏虎卞庄子[⑯]，当熊冯婕妤[⑰]。南阳高士吟梁父，西蜀才人赋子虚。三径风光，白石黄花供杖履；五湖烟景，青山绿水在樵渔。

【注释】

①周有若：东周时人，孔子弟子。

②汉相如：西汉文学家司马相如。

③五车书：学富五车，形容人博学。

④和靖：宋朝林逋，字和靖。

⑤选授：量才授官。

⑥升除：除去旧职任新职。

⑦参：孔子弟子曾参。

⑧回：孔子弟子颜回。

⑨穿云采药：东汉时刘晨、阮肇，入天台山采药迷路，遇到两位仙女。

⑩踏雪寻梅：唐朝孟浩然骑驴，在灞上，踏雪寻梅。

⑪洛龟河马：古代神话传说，伏羲时，黄河出现龙马，背上背着图，称河马；夏禹治水时，神龟从洛水出现，背上背着书，称洛龟。

⑫囊橐（tuó）、苞苴（jū）：包裹。

⑬罗浮：山名。

⑭壶峤：海上二仙山名。

⑮桀溺、长沮：二人为春秋时的隐士。

⑯搏虎卞庄子：春秋时，鲁国卞邑大夫卞庄

子看见两只老虎在争一头牛，打算刺虎。管竖子说："两只老虎食牛，牛死后一定争斗。打架则大者受伤，小者死亡。刺杀那个受伤的，一定能得到刺杀两头老虎的功劳。"卞庄子听从劝告，一下刺死了两只老虎。

⑰当熊冯婕妤：冯婕妤伺奉汉成帝观看虎圈，有一头熊跑了出来，大家都惊恐万分逃走。唯有冯婕妤当熊而立，成帝很欣赏她的勇气。

七虞

红对白，有对无。布谷对提壶。毛锥[①]对羽扇，天阙对皇都。谢蝴蝶[②]，郑鹧鸪[③]。蹈海[④]对归湖[⑤]。花肥春雨润，竹瘦晚风疏。麦饭豆糜终创汉，莼羹鲈脍竟归吴。琴调轻弹，杨柳月中潜去听；酒旗斜挂，杏花村里共来沽。

罗对绮，茗对蔬。柏秀对松枯。中元对上巳，返璧[⑥]对还珠[⑦]。云梦泽[⑧]，洞庭湖。玉烛对冰壶。苍头犀角带，绿鬓象牙梳。松阴白鹤声相应，镜里青鸾影[⑨]不孤。竹户半开，对牖不知人在否？柴门深闭，停车还有客来无。

宾对主，婢对奴。宝鸭对金凫。升堂对入室，鼓瑟对投壶[⑩]。觇合璧，颂联珠[⑪]。提瓮对当垆[⑫]。仰高红日近，望远白云孤。歆向[⑬]秘书窥二酉，机云芳誉动三吴。祖饯三杯，老去常斟花下酒；荒田五亩，归来独荷月中锄。

君对父，魏对吴。北岳对西湖。菜蔬对茶荈，苣藤对菖蒲。梅花数[⑭]，竹叶符[⑮]。廷议对山呼[⑯]。两都班固赋，八阵孔明图。田庆紫荆堂下茂[17]，王裒青柏墓前枯[18]。出塞中郎，羝有乳时归汉室[19]；质秦太子，马生角日返燕都[20]。

【注释】

①毛锥：毛笔。

②谢蝴蝶：宋朝谢逸好作蝴蝶诗，人称谢蝴蝶。

③郑鹧鸪：唐朝郑谷以《鹧鸪》诗得名，人称郑鹧鸪。

④蹈海：战国时，赵国的鲁仲连不愿诚服秦兵，欲跳东海。

⑤归湖：春秋时，范蠡灭吴后，泛舟隐归五湖（即太湖）。

⑥返璧：赵国得到和氏璧，秦国愿意用十五座城池来交换。赵国使者蔺相如奉璧入秦，秦国却不给城池。相如拒绝他说：璧有小污点，请原璧返赵。

⑦还珠：相传古代合浦郡的海中盛产珍珠。许多太守到任后搜刮贪污，宝珠竟然迁往他处。后来孟尝君为合浦太守，清廉自律，宝珠又回来了。

⑧云梦泽：古代楚地大湖。

⑨鸾影：罽宾田王得到一只鸾鸟，多年不鸣。夫人说：鸟见它的同类才会叫。悬镜照之，果然看见它的影而悲鸣不已。

⑩投壶：古代宴会上一种游戏。

⑪合璧、联珠：指日、月、五星合聚。

⑫当垆：卖酒。

⑬歆向：西汉刘向、刘歆父子。

⑭梅花数：古代一种占法。

⑮竹叶符：古代用竹子做的符。

⑯山呼：臣民对皇帝，叩头高呼万岁多次。

⑰田庆紫荆堂下茂：汉代京兆田真、田庆、田广三兄弟打算分家，准备把堂前的紫荆树截为三段。第二天树忽然枯死了。兄弟大惊，于是决定不分家，荆树又活了。

⑱王裒（póu）青柏墓前枯：传说晋代王裒的父亲被文帝杀死，裒爬到墓柏树号啕大哭，柏树忽然枯死。这是迷信说法。

⑲出塞中郎，羝有乳时归汉室：西汉苏武出使匈奴被扣，让他放牧公羊，说公羊能产奶了，才放他回去。

⑳质秦太子，马生角日返燕都：战国时，燕太子丹成了秦国的人质，秦王说：乌鸦白了头，马生了角，才能放你回去。太子听了，悲啼，乌鸦果然白了头，马也果然生出了脚。

八齐

鸾对凤，犬对鸡。塞北对关西。长生对益智，老幼对旄倪[①]。颁竹策[②]，剪桐圭[③]。剥枣对蒸梨。绵腰如弱柳，嫩手似柔荑[④]。狡兔能穿三穴隐，鷦鹩权借一枝栖。甪里先生[⑤]，策杖垂绅扶少主；於陵仲子[⑥]，辟纑织屦赖贤妻。

鸣对吠，泛对栖。燕语对莺啼。珊瑚对玛瑙，琥珀对玻璃。绛县老[⑦]，伯州犁[⑧]。测蠡[⑨]对燃犀[⑩]。榆槐堪作荫，桃李自成蹊。投巫救女西门豹[⑪]，赁浣逢妻百里奚[⑫]。阙里门墙，陋巷规模原不陋；隋堤基址，迷楼踪迹亦全迷。

越对赵，楚对齐。柳岸对桃溪。纱窗对绣户，画阁对香闺。修月斧，上天梯。蝃蝀[⑬]对虹霓。行乐游春圃，工谀[⑭]病夏畦[⑮]。李广不封空射虎[⑯]，魏明得立为存麑[⑰]。按辔徐行，细柳功成劳王敬；闻声稍卧，临泾名震止儿啼。

【注释】

①旄（mào）倪：老幼。旄，通“耄”，老人。

②竹策：竹制的策书。

③桐圭：古代举行礼仪时所用的玉器。

④柔荑：嫩芽，形容女子手纤细白嫩。

⑤甪（lù）里先生：汉高祖立吕后的儿子惠帝为太子，又想立赵王如意为太子。当时有商山四皓，东园公、夏黄公、绮里季、甪里先生，辅助惠帝。汉高祖看见后说：“幸亏你们细心辅助。”

⑥於陵仲子：战国时齐人，即陈仲子。楚王打算拜他为相，他不就，和妻子逃跑了。他去帮人灌园，妻子织布。

⑦绛县老：晋代有位老人，问他多少岁了。他说：“我是没文化的，不知纪年，我正月朔甲子出生，至今有四百四十五甲子矣。”师旷说：“七十三年啊！”

⑧伯州犁：春秋时吴国太宰伯嚭之父。

⑨测蠡：以蠡测海，比喻自不量力了。

⑩燃犀：东晋大臣温峤经过牛渚，用点燃的犀角照妖，果然看见很多奇状异形的精灵。晚上梦见有人对他说：“幽明道别，何苦相逼。”

⑪投巫救女西门豹：魏文侯时，魏国风俗信仰巫术。每年将女子投河，认为是给河伯娶妻。西门豹为邺太守，把巫师投于河，这个陋俗才禁止了。

⑫赁浣逢妻百里奚：百里奚为秦相，他所聘用的洗衣妇，抚弦唱歌。歌词是："百里奚，五羊皮，忆别时，烹伏雌，舂黄齑炊扊扅，今日富贵忘我为？"问她，原来是百里奚的妻子。

⑬蝃蝀（dì dōng）：虹。

⑭工谀：阿谀奉承的人。

⑮夏畦：夏天在田地里劳动的人。

⑯李广不封空射虎：西汉李广守北平，出去打猎，看见草中的石头以为是老虎，射之，箭头没入石中。李广一生战功卓著，却不得封侯。

⑰魏明得立为存麑（ní）：魏明帝小时候常常跟随文帝打猎，看见一对子母鹿。文帝射杀母鹿，叫明帝射杀子鹿，明帝不服，说："陛下已杀其母，我实在不忍心再杀害它的孩子。"并为之哭泣。文帝随即放下弓箭，坚定了立他为太子的决心。

九佳

门对户，陌对街。枝叶对根荄。斗鸡[1]对挥麈[2]，凤髻对鸾钗。登楚岫，渡秦淮。子犯[3]对夫差[4]。石鼎龙头缩，银筝雁翅排。百年诗礼延余庆，万里风云入壮怀。能辨名伦，死矣野哉悲季路[5]；不由径窦，生乎愚也有高柴[6]。

冠对履，袜对鞋。海角对天涯。鸡人[7]对虎旅[8]，六市对三街。陈俎豆，戏堆埋[9]。皎皎对皑皑。贤相聚东阁[10]，良朋集小斋。梦里山川书越绝[11]，枕边风月记齐谐[12]。三径萧疏，彭泽高风怡五柳；六朝华贵，琅琊佳气种三槐。

勤对俭，巧对乖。水榭对山斋。冰桃对雪藕，漏箭对更牌。寒翠袖，贵荆钗。慷慨对诙谐。竹径风声籁，花溪月影筛。携囊佳韵随时贮，荷锄沉酣到处埋。江海孤踪，雪浪风涛惊旅梦；乡关万里，烟峦云树切归怀。

杞对梓，桧对楷。水泊对山崖。舞裙对歌袖，玉陛对瑶阶。风入袂，月盈怀。虎兕对狼豺。马融[13]堂上帐，羊侃[14]水中斋。北面黉宫[15]宜拾芥[16]，东巡岱畤定燔柴。锦缆春江，横笛洞箫通碧落；华灯夜月，遗簪堕翠遍香街。

【注释】

①斗鸡：古时让鸡与鸡搏斗的一种游戏。

②挥麈（zhǔ）：挥动拂尘。

③子犯：春秋时晋臣。

④夫差：春秋时吴国国君。

⑤季路：孔子门人。

⑥高柴：孔子门人。

⑦鸡人：古代报晓之官。

⑧虎旅：勇猛善战的军队。

⑨俎豆、堆埋：孟子小的时候，住的地方靠近墓地，他就模仿大人埋坟；后来搬家到市集中，他又跟着学习做买卖；后来又搬到学校旁，他就跟着学习礼仪，摆弄俎、豆等礼器，主持祭祀之礼。

⑩东阁：东向的门。西汉公孙弘以布衣为宰相，曾经开东阁招徕贤士。

⑪越绝：历史小说。

⑫齐谐：志怪书名。

⑬马融：西汉马融在堂前教授学生。

⑭羊侃：南朝梁羊侃，好奢侈，天天游宴。

⑮黉（hóng）宫：古代学校名。

⑯拾芥：喻取之极易。

十灰

春对夏，喜对哀。大手对长才。风清对月朗，地阔对天开。游阆苑[1]，醉蓬莱[2]。七政[3]对三台[4]。青龙壶老杖[5]，白燕玉人钗[6]。香风十里望仙阁[7]，明月一天思子台[8]。玉橘冰桃，王母几因求道降；莲舟藜杖，真人原为读书来。

朝对暮，去对来。庶矣对康哉。马肝对鸡肋，杏眼对桃腮。佳兴适，好怀开。朔雪对春雷。云移鳷鹊观[9]，日晒凤凰台。河边淑气迎芳草，林下轻风待落梅。柳媚花明，燕语莺声浑是笑；松号柏舞，猿啼鹤唳总成哀。

忠对信，博对赅。忖度对疑猜。香消对烛暗，鹊喜对蛩哀。金花报[10]，玉镜台。倒斝对衔杯。岩巅横老树，石磴覆苍苔。雪满山中高士卧，月明林下美人来[11]。绿柳沿堤，皆因苏子[12]来时种；碧桃满观，尽是刘郎去后栽。

【注释】

①阆苑：传说中的仙人居地。

②蓬莱：传说中的海上仙山之一。

③七政：日、月和金、木、水、火、土五星。

④三台：古有灵台、时台、囿台，合称三台。

⑤壶老杖：东汉费长房跟随壶公学仙，告辞归去，壶公给他一根竹杖，说：骑着就可以到家。长房到家后，把竹杖投入葛陂，竹杖化成龙飞去。

⑥玉人钗：升平元年，汉武帝到招灵阁，神女留下一支玉钗给武帝，后来化燕飞天而去。

⑦望仙阁：南朝陈后主陈叔宝建。

⑧思子台：汉武帝立太子刘据，却被江妃谗言处死，武帝后来知道他是冤枉的，建思子台。

⑨䲹（zhī）鹊观：古代道观名。

⑩金花报：古代状元考取后，寄往家中的报喜信。

⑪美人来：隋赵师雄游罗浮山，傍晚时分看见一美人，于是邀请她共饮，不觉中喝醉睡着了。醒来他发现自己在梅花树下，惆怅不已。

⑫苏子：苏轼。

十一真

莲对菊，凤对麟。浊富对清贫。渔庄对佛舍，松盖对花茵。萝月[1]叟，葛天[2]民。国宝对家珍。草迎金埒马[3]，花醉玉楼人。巢燕三春尝唤友，塞鸿八月始来宾。古往今来，谁见泰山曾作砺[4]；天长地久，人传沧海几扬尘[5]。

兄对弟，吏对民。父子对君臣。勾丁对甫甲，赴卯对同寅。折桂客，簪花人。四皓[6]对三仁[7]。王乔[8]云外舄，郭泰[9]雨中巾。人交好友求三益[10]，士有贤妻备五伦[11]。文教南宣，武帝平蛮开百越[12]；义旗西指，韩侯扶汉卷三秦[13]。

申对午，侃对訚。阿魏对茵陈。楚兰对湘芷，碧柳对青筠。花馥馥，叶蓁蓁。粉颈对朱唇。曹公奸似鬼[14]，尧帝智如神。南阮[15]才郎差北富，东邻丑女效西颦。色艳北堂，草号忘忧[16]忧甚事；香浓南国，花名含笑[17]笑何人。

【注释】

①萝月：萝藤间的月色。

②葛天：传说为远古帝号。

③金埒（liè）：马具。

④作砺：作磨刀石。

⑤扬尘：沧海桑田。

⑥四皓：四位隐士。

⑦三仁：指殷商的三个贤臣微子、箕子、比干。

⑧王乔：仙人王子乔。

⑨郭泰：汉代名士。

⑩三益：友直、友谅、友多闻，称为三益友。

⑪五伦：封建礼教规定的君臣、父子、夫妇、兄弟、朋友的五种关系。

⑫百越：古代散居于南方各地的越族的总称。

⑬三秦：地名。战国时秦的国土，在现在的陕西省。秦朝灭亡后，项羽把关中地分为三份，合称为三秦。

⑭奸似鬼：三国时曹操奸诈，人称奸鬼。

⑮南阮：晋代洛阳有阮氏一族，住在北边的一

般很富裕，南边的却贫而多才。

⑯忘忧：萱草。

⑰含笑：花名。

十二文

忧对喜，戚对欣。二典对三坟[1]。佛经对仙语，夏耨对春耘。烹早韭，剪春芹。暮雨对朝云。竹间斜白接[2]，花下醉红裙。掌握灵符五岳箓[3]，腰悬宝剑七星纹。金锁未开，上相趋听宫漏永；珠帘半卷，群僚仰对御炉薰。

词对赋，懒对勤。类聚对群分。鸾箫对凤笛，带草对香芸。燕许[4]笔，韩柳[5]文。旧话对新闻。赫赫周南仲[6]，翩翩晋右军[7]。六国说成苏子[8]贵，两京收复郭公[9]勋。汉阙陈书，侃侃忠言推贾谊[10]；唐廷对策，岩岩直谏有刘蕡[11]。

言对笑，绩对勋。鹿豕对羊羵[12]。星冠对月扇，把袂对书裙。汤事葛[13]，说兴殷[14]。萝月对松云。西池青鸟使[15]，北塞黑鸦军[16]。文武成康为一代，魏吴蜀汉定三分。桂苑秋宵，明月三杯邀曲客；松亭夏日，薰风一曲奏桐君[17]。

【注释】

①二典、三坟：相传为远古之书。

②白接：古代一种帽子。

③五岳箓：道教符箓。

④燕许：唐朝燕国公张说、许国公苏颋，二人以文章显，人称燕许大手笔。

⑤韩柳：唐朝韩愈、柳宗元。

⑥南仲：周宣王时的大将。

⑦右军：晋代大书法家王羲之，曾任右军将军。

⑧苏子：战国时苏秦。

⑨郭公：唐朝郭子仪。

⑩贾谊：西汉大臣、政论家。

⑪刘蕡（fén）：唐朝进士，在皇帝面前慷慨直言，针砭时弊，但考官惧怕宦官势力而未将他录取。

⑫羊羵（fén）：古代传说中的土中怪神。

⑬汤事葛：相传汤时小国葛，不祭祀鬼神，成汤帮助他祭祀。

⑭说兴殷：殷商时宰相傅说，善治国政，兴盛殷朝。

⑮青鸟使：西王母用青鸟为信使。后来许多诗词以青鸟为传达爱情信息的使者。

⑯黑鸦军：后唐李克用守塞军队，穿黑衣，称黑鸦军。

⑰桐君：古琴名。

十三元

卑对长，季对昆[①]。永巷[②]对长门[③]。山亭对水阁，旅舍对军屯。杨子渡[④]，谢公墩[⑤]。德重对年尊。承乾对出震，叠坎对重坤[⑥]。志士报君思犬马，仁王养老察鸡豚。远水平沙，有客泛舟桃叶渡[⑦]；斜风细雨，何人携榼杏花村[⑧]。

君对相，祖对孙。夕照对朝曛。兰台对桂殿，海岛对山村。碑堕泪[⑨]，赋招魂[⑩]。报怨对怀恩。陵埋金吐气，田种玉生根。相府珠帘垂白昼，边城画角动黄昏。枫叶半山，秋去烟霞堪倚杖；梨花满地，夜来风雨不开门。

【注释】

①季、昆：弟弟、兄长。

②永巷：汉代关押犯错妃嫔宫女的地方。

③长门：陈皇后失宠后居住的地方。

④扬子渡：古代津渡名。

⑤谢公墩：山名。

⑥承乾、出震、叠坎、重坤：八卦中乾、震、坎、坤四卦。

⑦桃叶渡：江苏南京秦淮河、青溪合流处。

⑧杏花村：卖酒之处。

⑨碑堕泪：晋朝羊祜死后，襄阳人在岘山建碑纪念他，凡是看见的人，没有不哭泣流泪的，所以称堕泪碑。

⑩赋招魂：《楚辞》中有《招魂》篇。

十四寒

家对国，治对安。地主对天官。坎男对离女，周诰对殷盘[1]。三三暖，九九寒。杜撰[2]对包弹[3]。古壁蛩声匝，闲亭鹤影单。燕出帘边春寂寂，莺闻枕上漏珊珊。池柳烟飘，日夕郎[4]归青琐闼；砌花雨过，月明人倚玉阑干。

肥对瘦，窄对宽。黄犬对青鸾。指环对腰带，洗钵对投竿。诛佞剑，进贤冠。画栋对雕栏。双垂白玉箸，九转紫金丹。陕右棠高怀召伯[5]，河南花满忆潘安[6]。陌上芳春，弱柳当风披彩线；池中清晓，碧荷承露捧珠盘。

行对卧，听对看。鹿洞对鱼滩。蛟腾对豹变[7]，虎踞对龙蟠。风凛凛，雪漫漫。手辣对心酸。莺莺对燕燕[8]，小小[9]对端端[10]。蓝水远从千涧落，玉山高并两峰寒。至圣不凡，嬉戏六龄陈俎豆[11]；老莱[12]大孝，承欢七衮舞斑斓。

【注释】

①周诰、殷盘：《尚书》中包含的周书有《大

诰》《康诰》《酒诰》《召诰》《诸篇》，包含的商书中有《盘庚》上、中、下篇。

②杜撰：唐代杜举喜欢瞎说话，大家叫他杜撰。

③包弹：宋代包拯弹劾贪官污吏不惧权贵，大家叫他包弹。

④夕郎：黄门侍郎的别称。

⑤召伯：周公、召公分治天下，以陕为分界线，陕以西召伯主之。召公施行德政，常在甘棠树下办公，后人为了怀念他，不忍伐其树。

⑥河南花满忆潘安：潘安为河阳令，满县皆种桃花，人称花县。

⑦豹变：比喻润色事业。

⑧莺莺、燕燕：宋代钱塘范十二郎有两个女儿，分别叫莺莺和燕燕。

⑨小小：南朝名妓苏小小。

⑩端端：唐代妓女。

⑪至圣不凡，嬉戏六龄陈俎豆：《史记·孔子世家》载："孔子为儿嬉戏，常陈俎豆，设礼客"。又解释为至圣系指孔子，亚圣系指孟子，此处"至圣"应为"亚圣"之误。

⑫老莱：指老莱子。

十五删

林对坞，岭对峦。昼永对春闲。谋深对望重，任大对投艰。裙袅袅，佩珊珊。守塞对当关。密云千里合，新月一钩弯。叔宝[①]君臣皆纵逸，重华[②]父母是嚚顽[③]。名动帝畿，西蜀三苏[④]来日下[⑤]；壮游京洛，东吴二陆[⑥]起云间[⑦]。

临对仿，吝对悭。讨逆对平蛮。忠肝对义胆，雾发对云鬟。埋笔冢[⑧]，烂柯山[⑨]。月貌对天颜。龙潜终得跃，鸟倦亦知还。陇树飞来鹦鹉绿，池筠密处鹧鸪斑。秋露横江，苏子月明游赤壁；冻云迷岭，韩公雪拥过蓝关。

【注释】

①叔宝：南朝陈后主，名叔宝。

②重华：舜的名字。

③嚚（yín）顽：愚蠢而顽固。

④三苏：宋苏洵、苏轼、苏辙三父子。

⑤日下：都城。

⑥二陆：晋陆机、陆云兄弟。

⑦云间：今上海市松江区。

⑧埋笔冢：隋朝僧人智永学习书法，用废的笔足足有十八瓮，埋这些笔的地方叫埋笔冢。

⑨烂柯山：晋代的樵夫王质进山打柴，看见两位仙人在下棋，就停下来观看。等他们这一局下完了，他的斧头把子已经烂了。

下卷

一先

寒对暑，日对年。蹴鞠[1]对秋千。丹山对碧水，淡雨对覃烟[2]。歌宛转，貌婵娟。雪鼓对云笺[3]。荒芦栖南雁，疏柳噪秋蝉。洗耳尚逢高士笑[4]，折腰肯受小儿怜[5]。郭泰泛舟，折角半垂梅子雨；山涛骑马，接䍦倒着杏花天。

轻对重，肥对坚[6]。碧玉[7]对青钱[8]。郊寒对岛瘦[9]，酒圣对诗仙[10]。依玉树，步金莲。凿井对耕田。杜甫清宵立，边韶[11]白昼眠。豪饮客吞波底月，酣游人醉水中天。斗草青郊，几行宝马嘶金勒；看花紫陌，千里香车拥翠钿。

吟对咏，授对传。乐矣对凄然。风鹏[12]对雪雁，董杏[13]对周莲[14]。春九十，岁三千。钟鼓对管弦。入山逢宰相[15]，无事即神仙。霞映武陵桃淡淡，烟荒隋堤柳绵绵。七碗月团[16]，啜罢清风生腋下；

三杯云液[17]，饮余红雨晕腮边。

中对外，后对先。树下对花前。玉柱对金屋，叠嶂对平川。孙子策，祖生鞭。盛席对华筵。解醉知茶力，消愁识酒权。丝剪芰荷开冻沼，锦妆凫雁泛温泉[18]。帝女衔石，海中遗魄为精卫[19]；蜀王叫月，枝上游魂化杜鹃[20]。

【注释】

①蹴鞠：中国古代流行的一种体育运动，类似于今天的足球。

②覃（tán）烟：袅袅直升空中的饮烟。

③云笺：信。

④洗耳尚逢高士笑：帝尧时，箕山有位高人隐士叫巢父，尧和许由商量，准备把帝位传给他。巢父听了，认为玷污了他的耳朵，跑到池中去洗耳。池水主人生气地说："为什么污染我的水！"

⑤折腰肯受小儿怜：陶渊明曾经是彭泽县令。有一次，郡督邮来彭泽县视察。县吏建议陶渊明穿上官服去迎接。陶渊明生气地说："我不能为了五斗米就折腰，殷勤奉承这个无知的人！"于是弃官而去。

⑥肥、坚：肥马和坚车。

⑦碧玉：南朝汝南王的小妾非常有才学，时人称他为“青钱学士”。

⑧青钱：唐朝张鷟（zhuó）非常有才学，时人称他为“青钱学士”。

⑨郊寒、岛瘦：指孟郊和贾岛。

⑩酒圣、诗仙：指晋代的刘伶和唐朝的李白。

⑪边韶：汉代儒生边韶。

⑫风鹏：北海有一种大鱼，叫作鲲，变成鸟，就叫作鹏。

⑬董杏：三国时东吴人董奉给人治病从不收取报酬，病重的为他栽五棵杏，轻的栽一棵。几十年有十万余株杏树。以“杏林”代良医亦由此得来。

⑭周莲：宋儒周敦颐，性爱荷花。

⑮入山逢宰相：南朝梁陶弘景隐居山中，武帝常常向他请教国事，被称为“山中宰相”。

⑯月团：茶名。

⑰云液：酒的美称。

⑱锦妆凫雁泛温泉：相传玄宗扩建华清宫汤池，规模非常宏丽。汤池内以玉莲为喷泉，又用锦绣缝成凫雁，放于水中。他自己乘小舟从中游嬉，奢侈极了。

⑲帝女衔石，海中遗魄为精卫：上古神话中，赤帝有个女儿名字叫女娃，她在东海中游泳不慎溺亡。她的魂魄变成了一种名叫精卫的鸟，常常衔木石填入海中。

⑳蜀王叫月，枝上游魂化杜鹃：上古神话传说，蜀王名叫杜宇，在蜀国治水，认为自己德行不够，让位给大臣鳖冷，自己隐居山林。他死后，化为杜鹃鸟，夜夜悲啼，啼则吐血。

二萧

琴对管，斧对瓢。水怪对花妖。秋声对春色，白缣对红绡[①]。臣五代[②]，事三朝[③]。斗柄对弓腰。醉客歌金缕，佳人品玉箫。风定落花闲不扫，霜余残叶湿难烧。千载兴周，尚父一竿投渭水；百年霸越，钱王万弩射江潮[④]。

荣对悴，夕对朝。露地对云霄。商彝对周鼎[⑤]，殷濩对虞韶[⑥]。樊素口，小蛮腰[⑦]。六诏[⑧]对三苗[⑨]。朝天车奕奕，出塞马萧萧。公子幽兰重泛舸，王孙芳草正联镳。潘岳[⑩]高怀，曾向秋天吟蟋蟀；王维清兴，尝于雪夜画芭蕉。

耕对读，牧对樵。琥珀对琼瑶。兔毫[⑪]对鸿爪[⑫]，桂楫对兰桡[⑬]。鱼潜藻，鹿藏蕉[⑭]。水远对山遥。湘灵能鼓瑟，嬴女解吹箫。雪点寒梅横小院，风吹弱柳覆平桥。月牖通宵，绛蜡罢时光不减；风帘当昼，雕盘停后篆难消。

【注释】

①白缣（jiān）、红绡（xiāo）：细绢和绸子。

②臣五代：五代时官僚冯道，曾历事后唐、后晋、后辽、后汉、后周五代。

③事三朝：沈约事南朝宋、齐、梁三朝。

④百年霸越，钱王万弩射江潮：传说五代时吴越王钱镠（liú），为了防止潮水泛滥，于江中做御潮铁柱。没想到还没完成，潮水蜂拥而至。吴越王命大家以弓箭射之，潮水乃退。

⑤商彝、周鼎：指商周二代的青铜器。

⑥殷濩（huò）、虞韶：商汤王的舞乐和帝舜时的乐名。

⑦樊素、小蛮：白居易的歌伎。

⑧六诏：唐朝时候西南少数民族有蒙嶲（xī）、越析、浪穹、澄赕（shǎn）、施浪、蒙舍诸诏，合称六诏。

⑨三苗：尧、舜时代居住在西南的少数民族。

⑩潘岳：即潘安，晋代诗人。

⑪兔毫：笔名，这里指毛笔。

⑫鸿爪：鸿雁在泥土上留下的脚印。

⑬桂楫、兰桡：划船撑船的工具。

⑭鹿藏蕉：一个郑人偶然遇到一只鹿，于是猎杀了鹿并埋于土中，盖上芭蕉叶作为标记。但不久他忘记了埋藏之所，还以为是自己做了个梦。后来有人听他说起这个“梦”，于是按照他所说的“梦”的指点，找到了鹿。

三肴

诗对礼，卦对爻[①]。燕引对莺调[②]。晨钟对暮鼓，野馔对山肴。雉方乳[③]，鹊始巢。猛虎对神獒。疏星浮荇叶，皓月上松梢。为邦自古推瑚琏[④]，从政于今愧斗筲[⑤]。管鲍[⑥]相知，能交忘形胶漆友；蔺廉[⑦]有隙，终为刎颈死生交。

歌对舞，笑对嘲。耳语对神交。焉乌对亥豕[⑧]，獭髓对鸾胶。宜久敬，莫轻抛。一气[⑨]对同胞。祭遵[⑩]甘布被，张禄[⑪]念绨袍。花径风来逢客访，柴扉月到有僧敲。夜雨园中，一颗不雕王子柰[⑫]；秋风江上，三重曾卷杜公茅[⑬]。

衙对舍，廪对庖[⑭]。玉磬对金铙[⑮]。竹林对梅岭，起凤对腾蛟[⑯]。鲛绡帐，兽锦袍。露果对风梢。扬州输橘柚，荆土贡菁茅。断蛇埋地称孙叔[⑰]，渡蚁作桥识宋郊[⑱]。好梦难成，蛩响阶前偏唧唧；良朋远到，鸡声窗外正嘐嘐。

【注释】

①卦、爻:《周易》分六十四卦，各卦有六爻。

②燕引、莺调：燕、莺动听的鸣声。

③雉方乳：汉朝的鲁恭为中军令，很有政绩，连蝗虫都不到他管辖的地方。河南尹听说了，派人前往查看。使者看见一只野鸡趴在桑树下，但孩子都不去逮它，很奇怪，惊异地问是什么原因。孩子说："野鸡在孵卵，不要伤害它。"雉，野鸡。

④为邦自古推瑚琏（liǎn）：有一次，子贡问他的老师孔子："您觉得我是怎样一个人？"孔子说："你以后是能成器的。"子贡又问："那我是一个什么器？"孔子说："你是瑚琏。"瑚琏，古代宗庙祭祀的贵重礼器，比喻治国的人才。

⑤从政于今愧斗筲（shāo）：一次子贡问孔子："当今做官的人怎么样？"孔子说："唉，斗筲之人，怎么能算呢？"斗筲，比喻德薄才疏。

⑥管鲍：春秋时的管仲和鲍叔牙。

⑦蔺廉：战国时赵国的蔺相如和廉颇。

⑧焉乌、亥豕：焉和乌，亥和豕，字形相近，往往混淆。

⑨一气：有血缘关系的亲属。

⑩祭遵：东汉光武帝的将军。

⑪张禄：范雎的假名张禄。

⑫夜雨园中，一颗不雕王子柰（nài）：晋人王

祥是个孝顺的孩子，但他的后母对他一点都不好。后母让他看护后园的苹果树，如果苹果掉了就要挨打。王祥抱树大哭，感动了上天，苹果一颗不落。

⑬秋风江上，三重曾卷杜公茅：杜甫在成都居住时，一次大风吹坏了他的草堂。为此，他写作了《茅屋为秋风所破歌》。

⑭廪、庖：粮仓和厨房。

⑮玉磬、金铙：都是古代的打击乐器。

⑯起凤、腾蛟：都形容文采的超拔。

⑰断蛇埋地称孙叔：传说，孙叔敖小的时候，看见两个头的蛇，杀了并把它埋了。回家后他对母亲哭诉。母亲问他为什么哭？他说："我听说，遇到两头蛇的人一定要死，今天我遇到了。为了不让更多的人看见它而死，我已把蛇杀了，并且还埋了它。"母亲听了，高兴地说："我儿做了好事，老天一定会有报应的。"果然，孙叔敖后来做了楚国的令尹。

⑱渡蚁作桥识宋郊：宋郊还是士人的时候，他居住的房子前有一窝蚁穴，被雨水冲毁。他编竹为桥，让蚂蚁爬到了干处。据说因为这个德行，他后来考上了状元。

四豪

茭对茨，荻对蒿，山麓对江皋。莺簧[1]对蝶板[2]，麦浪对桃涛。骐骥足，凤凰毛。美誉对嘉褒。文人窥蠹简[3]，学士书兔毫。马援[4]南征载薏苡，张骞[5]西使进葡萄。辩口悬河，万语千言常亹亹；词源倒峡，连篇累牍自滔滔。

梅对杏，李对桃。棫朴[6]对旌旄。酒仙[7]对诗史[8]，德泽对恩膏。悬一榻[9]，梦三刀[10]。拙逸对贵劳。玉堂花烛绕，金殿月轮高。孤山看鹤盘云下，蜀道闻猿向月号。万事从人，有花有酒应自乐；百年皆客，一丘一壑尽吾豪。

台对省，署对曹[11]。分袂对同袍。鸣琴对击剑，返辙对回艚。良借箸[12]，操提刀[13]。香茶对醇醪。滴泉归海大，篑土积山高。石室客来煎雀舌，画堂宾至饮羊羔。被谪贾生，湘水凄凉吟鹏鸟[14]；遭谗屈子，江潭憔悴著离骚[15]。

【注释】

①莺簧：指黄莺的声音像笙簧一样美妙。

②蝶板：蝴蝶的双翅开合好像乐器板。

③蠹（dù）简：指书籍。

④马援：东汉的将军。

⑤张骞：汉武帝时，张骞曾两次出使西域。

⑥棫（yù）朴：两种灌木名。

⑦酒仙：杜甫《饮中八仙歌》中，称李白、贺知章、李琎、张旭等为酒仙。

⑧诗史：杜甫的诗，被人称为“诗史”。

⑨悬一榻：后汉徐稚，家里很贫穷，但此人很有德行。当时陈蕃是豫章的太守，轻易不接待宾客，但专门设一榻来款待徐稚。徐稚来就放下给他坐，徐稚走就悬起。

⑩梦三刀：晋代的王浚晚上做梦，梦见自己的梁上悬着三把刀，后来又增加一把。醒来后他问别人是吉是凶。解梦的人回答说：“三刀是个州字，再加一把是‘益’的意思，也就是益州。您就要做益州刺史了。”后来，他果然镇守益州。

⑪台、省、署、曹：都是古时官府的名称。

⑫良借箸：楚汉战争中，汉高祖听信郦生的

话，打算把诸将分封到各地为侯王。张良认为这是不正确的，在酒宴前，他借着给酒席摆筷子，一一陈说道理。

⑬操提刀：传说匈奴使者要拜会曹操。曹操认为自己其貌不扬，担心被使者嘲笑。于是，他让长相俊美的崔琰装扮成魏王，而他自己装扮成卫士，提刀立在崔琰旁。朝见后，曹操让人问使者对魏王的印象。使者说，魏王长相平常，但床头捉刀人（指曹操）才是真正的英雄。

⑭被谪贾生，湘水凄凉吟鵩鸟：汉代的贾谊，被罢黜为长沙王太傅，心情很悲伤。有一天，一只猫头鹰飞进了他的家。大家都认为猫头鹰进宅，是不吉祥的，他于是就写了一篇《鵩鸟赋》抒发情怀。

⑮遭谗屈子，江潭憔悴著离骚：战国时期楚国大夫屈原，被奸臣毁谤，遭到楚王贬谪，曾在湘江一带流浪，后投汨罗江而死。《离骚》是他写作的长诗。

五歌

微对巨，少对多。直干对平柯[1]。蜂媒对蝶使，雨笠对烟蓑。眉淡扫，面微酡。妙舞对清歌。轻衫裁夏葛，薄袂剪春罗。将相兼行唐李靖[2]，霸王杂用汉萧何[3]。月本阴精，岂有羿妻曾窃药[4]；星为夜宿，浪传织女漫投梭[5]。

慈对善，虐对苛。缥缈对婆娑。长杨对细柳，嫩蕊对寒莎。追风马，挽日戈。玉液对金波。紫诏衔丹凤，黄庭换白鹅[6]。画阁江城梅作调，兰舟野渡竹为歌。门外雪飞，错认空中飘柳絮[7]；岩边瀑响，误疑天半落银河。

松对竹，荇[8]对荷。薜荔[9]对藤萝。梯云对步月，樵唱对渔歌。升鼎雉[10]，听经鹅[11]。北海[12]对东坡。吴郎[13]哀废宅，邵子乐行窝。丽水良金皆待冶，昆山美玉总须磨。雨过皇州，琉璃色灿华清瓦；风来帝苑，荷芰香飘太液波。

笼对槛，巢对窝。及第对登科。冰清对玉润[14]，地利对人和。韩擒虎[15]，荣驾鹅[16]。青女对素娥。破头朱泚笏[17]，折齿谢鲲梭[18]。留客酒杯应恨少，动人诗句不须多。绿野凝烟，但听村前双牧笛；沧江积雪，惟看滩上一渔蓑。

【注释】

①平柯：横枝。

②李靖：唐初著名军事家。

③萧何：汉高祖谋士，后为丞相。

④月本阴精，岂有羿妻曾窃药：古代神话传说，后羿从西王母那里得到了长生药，他的妻子嫦娥偷偷服用后，飞到了月宫。本联的意思是：月本是阴气的精华，哪里有嫦娥飞升的事呢？

⑤星为夜宿，浪传织女漫投梭：古代神话说，织女是天帝的孙女，整天整夜在那里织布。

⑥黄庭换白鹅：晋代书法家王羲之很喜欢山阴道士养的鹅，作为交换条件，他为道士写了一卷《黄庭经》。

⑦门外雪飞，错认空中飘柳絮：晋代谢奕的女儿谢道韫，很有才智。一次天降大雪，她的叔父谢安问子侄们："大雪纷纷何所似？"朗曰："撒盐空中差可拟。"道韫曰："未若柳絮因风起。"谢安十分赞赏。

⑧荇（xìng）：多年生草本植物。

⑨薜荔：一种蔓生植物。

⑩升鼎雉：相传，殷王祭祀太庙，突然有一只野鸡落在鼎耳上而鸣。

⑪听经鹅：佛教传说，鹅能听懂经法。

⑫北海：指后汉孔融。

⑬吴郎：唐代吴融。

⑭冰清、玉润：人称晋代乐广为冰清，他的女婿卫玠为玉润，喻人品高洁。

⑮韩擒虎：隋朝大将。

⑯荣驾鹅：春秋时鲁昭公之大臣。

⑰破头朱泚笏：德宗时，京师遭到兵变，德宗出逃。太尉朱泚想要窃取帝位，司农卿段秀实拿着象笏把他的脑袋打破了。

⑱折齿谢鲲梭：谢鲲的邻居高家，有个漂亮的女儿。鲲曾经挑逗她，女孩投梭，打断了谢鲲的两颗牙齿。

六麻

清对浊，美对嘉。鄙吝对矜夸。花须对柳眼，屋角对檐牙。志和宅[①]，博望槎[②]。秋实对春华。乾炉烹白雪，坤鼎炼丹砂[③]。深宵望冷沙场月，边塞听残野戍笳。满院松风，钟声隐隐为僧舍；半窗花月，锡影依依是道家。

雷对电，雾对霞。蚁阵对蜂衙[④]。寄梅[⑤]对怀橘[⑥]，酿酒对烹茶。宜男草，益母花。杨柳对蒹葭。班姬[⑦]辞帝辇，蔡琰[⑧]泣胡笳。舞榭歌楼千万尺，竹篱茅舍两三家。珊枕半床，月明时梦飞塞外；银筝一奏，花落处人在天涯。

圆对缺，正对斜。笑语对咨嗟。沈腰对潘鬓[⑨]，孟笋[⑩]对卢茶[⑪]。百舌鸟，两头蛇。帝里[⑫]对仙家。尧仁敷率土，舜德被流沙。桥上授书曾纳履[⑬]，壁间题句已笼纱[⑭]。远塞迢迢，露碛风沙何可极；长沙渺渺，雪涛烟浪信无涯。

疏对密，朴对华。义鹘对慈鸦。鹤群对雁阵，白苎对黄麻。读三到，吟八叉[⑮]。肃静对喧哗。围棋兼把钓，沉李并浮瓜。羽客[16]片时能煮石，狐禅千劫似蒸沙。党尉粗豪，金帐笼香斟美酒；陶生清逸，银铛融雪啜团茶。

【注释】

①志和宅：唐诗人张志和住的屋子。

②博望槎：张骞乘的木筏。

③乾炉烹白雪，坤鼎炼丹砂：道教说法。乾炉指男，坤鼎指女。

④蜂衙：蜂房。

⑤寄梅：南朝宋陆凯和范晔是好朋友。范晔在长安时，陆凯从江南寄了一枝梅花给他。

⑥怀橘：三国时后的陆绩照顾母亲非常孝顺。七岁那年，他到袁术那里做客，看桌子上有橘子，就往怀里藏了几个，打算带给母亲。但走的时候，橘子掉落在地。袁术问明原因后，赠给他很多。

⑦班姬：汉成帝时的班婕妤。

⑧蔡琰：蔡文姬。

⑨沈腰：南朝梁文学家沈约，体弱多病，腰身纤弱。潘鬓：晋朝文学家潘岳，由于屡遭不幸，身体早衰，两鬓早白。

⑩孟笋：孟宗的母亲生病了，想吃新鲜的竹笋。因当时是冬季，无笋可取，孟宗守着竹子哭，竹子果然生笋。

⑪卢茶：唐代诗人卢仝很喜欢茶，每次喝茶都要喝七碗。

⑫帝里：天帝所居之处。

⑬桥上授书曾纳履：相传张良年轻时，曾遇到一位坐在桥上的老人。老人命他到桥下去捡他掉下去的鞋子。张良恭恭敬敬地帮老人把鞋子捡了起来，老人很高兴，说孺子可教也。于是传授给他三卷兵书。

⑭壁间题句已笼纱：唐代王播年少时家里很穷，他客居在扬州惠招寺的木兰院，跟着僧人一起吃饭，那些僧人对他很不礼貌。王播显贵后，重游旧地，看见当年他在寺壁上所题诗句，已经被僧人用碧纱盖护了。

⑮吟八叉：相传唐诗人温庭筠才思敏捷，他八叉其手就能作成一首诗，人称温八叉。

⑯羽客：仙人。

七阳

台对阁，沼对塘。朝雨对夕阳。游人对隐士，谢女[1]对秋娘[2]。三寸舌，九回肠。玉液对琼浆。秦皇照胆镜[3]，徐肇返魂香[4]。青萍[5]夜啸芙蓉匣，黄卷时摊薜荔床。元亨利贞，天地一机成化育；仁义礼智，圣贤千古立纲常。

红对白，绿对黄。昼永对更长。龙飞对凤舞，锦缆对牙樯。云弁使[6]，雪衣娘[7]，故国对他乡。雄文能徙鳄[8]，艳曲为求凰[9]。九日高峰惊落帽[10]，暮春曲水喜流觞[11]。僧占名山，云绕茂林藏古殿；客栖胜地，风飘落叶响空廊。

衰对壮，弱对强。艳饰对新妆。御龙对司马，破竹对穿杨。读班马[12]，识求羊[13]。水色对山光。仙棋藏绿橘[14]，客枕梦黄粱[15]。池草入诗因有梦，海棠带恨为无香。风起画堂，帘箔影翻青荇沼；月斜金井，辘轳声度碧梧墙。

臣对子，帝对王。日月对风霜。乌台对紫府，雪牖对云房。香山社[16]，昼锦堂[17]。蔀屋[18]对岩廊[19]。芬椒涂内壁，文杏饰高梁。贫女幸分东壁影，幽人高卧北窗凉。绣阁探春，丽日半笼青镜色；水亭醉夏，薰风常透碧筒香。

【注释】

①谢女：晋代才女谢道韫。

②秋粮：杜秋娘。

③照胆镜：传说秦始皇有照胆镜，这面镜子能透视人的内脏。如果他发现有人胆张心动要害他，当即杀掉。

④返魂香：相传，西海申未洲上有一棵大树，叶子很香，数百里之外都能闻到。把叶子煎制成膏，焚烧之后可使死者复生。

⑤青萍：宝剑名。

⑥云弁（biàn）使：蜻蜓。

⑦雪衣娘：白鹦鹉。

⑧雄文能徙鳄：相传潮州有鳄鱼为害，韩愈做刺史的时候，作了一篇《祭鳄鱼文》，用来驱赶鳄鱼。据说鳄鱼果真迁到了别处。

⑨艳曲为求凰：汉时成都的卓王孙有一个女儿叫卓文君，刚刚死了丈夫。司马相如倾心于她，作

《凤求凰》表达对卓文君的倾慕，文君于是与他一起私奔。

⑩九日高峰惊落帽：相传，晋朝时的孟嘉为桓温的参军。九月九日游龙山时，突然一阵风把孟嘉的帽子吹掉了，孟嘉一点没觉得。孙盛作了一篇文章来嘲笑他，孟嘉立刻作文回答，大家都很佩服。

⑪暮春曲水喜流觞：晋代永和农历三月初三，王羲之、王献之、谢安、孙绰等人在山阴兰亭聚会。他们在水边嬉游采兰花，饮酒赋诗，以消除不祥。

⑫班马：班固作《汉书》，司马迁作《史记》。

⑬求羊：西汉末年，蒋诩解官回到桂林后，在竹林中开了三条小道，只有故人求仲、羊仲和他一起游玩，不与其他人往来。

⑭仙棋藏绿橘：传说巴邛人家有橘树，一年长了三颗橘子，果实大如斗，剖之有两个老人在其中下棋。

⑮客枕梦黄粱：少年卢生在旅店遇到道士吕翁，一起休息。吕翁让他枕着自己的枕头睡觉，于是卢生梦到自己做了大官，穷极富贵。醒来，店主人煮的黄粱米饭还没有熟呢。

⑯香山社：唐朝的白居易在洛阳与胡杲、吉皎等八位老人结为九老会，因为地点在香山，所以又叫香山社。

⑰昼锦堂：北宋的韩琦任武康节度使时，在故乡相州修了一所殿堂，取名昼锦堂。

⑱蔀（bù）屋：草屋。

⑲岩廊：高大的宫殿。

八庚

形对貌，色对声。夏邑对周京。江云对涧树，玉磬对银筝。人老老[1]，我卿卿[2]。晓燕对春莺。玄霜舂玉杵[3]，白露贮金茎[4]。贾客君山秋弄笛[5]，仙人缑岭夜吹笙[6]。帝业独兴，尽道汉高能用将；父书空读，谁言赵括[7]善知兵。

功对业，性对情。月上对云行。乘龙对附骥，阆苑[8]对蓬瀛[9]。春秋笔，月旦评[10]。东作对西成[11]。隋珠光照乘，和璧价连城。三箭三人唐将勇[12]，一琴一鹤赵公清[13]。汉帝求贤，诏访严滩逢故旧[14]；宋廷优老，年尊洛社重耆英[15]。

昏对旦，晦对明。久雨对新晴。蓼湾对花港，竹友对梅兄。黄石叟[16]，丹丘生。犬吠对鸡鸣。暮山云外断，新水月中平。半榻清风宜午梦，一犁好雨趁春耕。王旦登庸，误我十年迟作相[17]；刘蕡不第，愧他多士早成名。

【注释】

①人老老：从孟子的“老吾老，以及人之老；

幼吾幼，以及人之幼”化来。

②我卿卿：西晋大臣王衍的妻子称呼王衍为卿。王衍问：“奈何卿我？”妻子回答说：“我不卿卿，谁复卿卿。”所以后人以“卿卿我我”作为夫妻恩爱之典。

③霜舂玉杵：秀才裴航，遇到仙人云翘夫人，送给他一首诗：“一饮琼浆百感生，玄霜捣尽见云英。蓝桥便是神仙窟，何必崎岖上玉京。”后来，裴生经过蓝桥驿，果然遇见一位老妪揖手求饮，老妪叫云英端着瓯浆，叫裴生喝了。因与诗合，裴生想娶云英，老妪便命令裴生，买玉杵并捣药，果然得到玉杵。

④白露贮金茎：汉武帝喜好神仙之术，他曾经作铜柱，上面有铜仙人擎玉盘，承接夜露。

⑤贾客君山秋弄笛：有个商人叫吕乡筠，擅长吹笛。有一次他乘船到君山附近，遇到一位老人，有三支仙笛，吹奏几声，湖面上立即风波大作。

⑥仙人缑岭夜吹笙：传说周灵王太子晋喜好吹笙，曾作《凤凰鸣》，后来遇到浮邱公。七月七日，他乘白鹤过缑山，向大家告别而去。

⑦赵括：战国时赵国的将军。

⑧阆苑：传说中的仙境。

⑨蓬瀛：蓬莱山。

⑩月旦评：汉朝末年，河南许劭与他的兄长许靖，喜好在一起甄别、评论当地人物。他们每月变换一次，每月的农历初一发布公告，称之为“月旦评”。

⑪东作、西成：开始耕作与收获之意。

⑫三箭三人唐将勇：唐代大将军薛仁贵与突厥交战，三箭击毙三人，威震军中。

⑬一琴一鹤赵公清：宋代赵汴治理成都，单骑一匹马入蜀，以一琴一鹤相随，清廉简易。

⑭汉帝求贤，诏访严滩逢故旧：光武帝对严子陵很友善，武帝刚即位就命人寻访子陵。严子陵在富春江披着蓑衣垂钓，等回到朝中，武帝以故人礼敬之。

⑮宋廷优老，年尊洛社重耆英：宋朝宰相文彦博，在洛阳同富弼、司马光等十三人，饮酒赋诗相乐，叫耆英会。

⑯黄石叟：汉初张良所遇仙人黄石公。

⑰王旦登庸，误我十年迟作相：宋相王旦当宰相十八年，他死后，王钦若继承他当宰相。王钦若曾对人说：“王旦耽误了我十年做宰相。”

九青

庚对甲，己对丁。魏阙[1]对彤庭[2]。梅妻对鹤子[3]，珠箔对银屏。鸳浴沼，鹭飞汀。鸿雁对鹡鸰[4]。人间寿者相，天上老人星。八月好修攀桂斧，三春须系护花铃。江阁凭临，一水净连天际碧；石栏闲倚，群山秀向雨余青。

危对乱，泰对宁。纳陛[5]对趋庭[6]。金盘对玉箸，泛梗对浮萍。群玉圃[7]，众芳亭。旧典对新型。骑牛闲读史[8]，牧豕自横经[9]。秋首田中禾颖重，春馀园内菜花馨。旅次凄凉，塞月江风皆惨淡；筵前欢笑，燕歌赵舞独娉婷。

【注释】

①魏阙：高大的城阙。

②彤庭：帝王宫殿。

③梅妻、鹤子：宋代林逋隐居西湖孤山，以梅为妻，以鹤为子。

④鹡（jí）鸰：鸟名。

⑤纳陛：登上台阶。

⑥趋庭：快步走过庭院。

⑦群玉圃：传说仙人西王母居住在群玉山的瑶圃。

⑧骑牛闲读史：隋朝末年的李密很好学，常常将《汉书》的一部分挂于牛角之上，骑牛读书。

⑨牧豕自横经：汉代的公孙弘非常勤奋好学，少年时即便在给人放猪的时候仍不忘学习，常常带经卷阅读。

十蒸

苹对蓼，荇对菱。雁弋[①]对鱼罾[②]。齐纨对鲁绮，蜀锦对吴绫[③]。星渐没，日初升。九聘[④]对三征[⑤]。萧何曾作吏，贾岛[⑥]昔为僧。贤人视履循规矩，大匠挥斤校准绳。野渡春风，人喜乘潮移酒舫；江天暮雨，客愁隔岸对渔灯。

谈对吐，谓对称。冉闵[⑦]对颜曾[⑧]。侯嬴[⑨]对伯嚭[⑩]，祖逖[⑪]对孙登[⑫]。抛白纻[⑬]，宴红绫[⑭]。胜友对良朋。争名如逐鹿，谋利似趋蝇。仁杰姨惭周不仕[⑮]，王陵母识汉方兴[⑯]。句写穷愁，浣花寄迹传工部[⑰]；诗吟变乱，凝碧伤心叹右丞[⑱]。

【注释】

①雁弋（yì）：一种射雁的箭。

②鱼罾（zēng）：一种用竹竿或木棍做的渔网。

③齐纨、鲁绮、蜀锦、吴绫：纨、绮、锦、绫是名贵的丝织品；齐、鲁、蜀、吴是上述丝织品的产地。

④九聘：多次被聘请。

⑤三征：多次被征召。汉代杨伦前后三次被征召，都因为直谏被罢免。

⑥贾岛：唐诗人贾岛曾经当过僧人，法名无本。韩愈很欣赏他的诗才，劝他还俗读书考取功名，后来贾岛登进士，官长江主簿。

⑦冉闵：孔子弟子冉有、闵子骞。

⑧颜曾：孔子弟子颜渊、曾参。

⑨侯嬴：战国时魏人。

⑩伯嚭（pǐ）：吴国奸臣。

⑪祖逖：东晋时著名将领。

⑫孙登：晋初隐士。

⑬白纻（zhù）：白苎麻织成的衣服。

⑭红绫：红绫饼。

⑮仁杰姨惭周不仕：唐代宰相狄仁杰，他的小姨有个儿子。狄仁杰打算给这个孩子一官半职。小姨说，我只有这一个孩子，不想让他在武则天时期当官。

⑯王陵母识汉方兴：王陵在汉当官，他的母亲在楚。她知道汉一定会兴盛，嘱咐王陵好好干。项羽命令他的母亲把王陵召回来，他的母亲自杀了。

⑰句写穷愁，浣花寄迹传工部：杜甫曾为检校

员外郎，人称杜工部。晚年时间杜甫流落成都，居住在成都西郊的浣花村草堂。

⑱吟诗变乱，凝碧伤心叹右丞：王维官尚书右丞相，人称王右丞。安史之乱时他被捉，被迫给安禄山办事。安禄山在凝碧宫设宴时，王维作诗抒发心中的哀伤。

十一尤

荣对辱，喜对忧。缱绻对绸缪[①]。吴娃[②]对越女，野马对沙鸥。茶解渴，酒消愁。白眼对苍头。马迁修史记，孔子作春秋。莘野耕夫闲举耜[③]，渭滨渔父晚垂钩。龙马游河，羲帝因图而画卦；神龟出洛，禹王取法以明畴。

冠对履，舄对裘。院小对庭幽。面墙[④]对膝地，错智[⑤]对良筹[⑥]。孤嶂耸，大江流。芳泽对圆丘。花潭来越唱，柳屿起吴讴。莺懒燕忙三月雨，蛩摧蝉退一天秋。钟子听琴[⑦]，荒径入林山寂寂；谪仙[⑧]捉月，洪涛接岸水悠悠。

鱼对鸟，鹡[⑨]对鸠。翠馆对红楼。七贤[⑩]对三友[⑪]，爱日对悲秋。虎类狗[⑫]，蚁如牛[⑬]。列辟[⑭]对诸侯。陈唱[⑮]临春乐，隋歌[⑮]清夜游。空中事业麒麟阁[⑰]，地下文章鹦鹉洲[⑱]。旷野平原，猎士马蹄轻似箭；斜风细雨，牧童牛背稳如舟。

【注释】

①缱绻、绸缪：都是形容情意缠绵的样子。

②吴娃：吴地的姑娘。

③莘野耕夫闲举耜（sì）：有个女子在一片空桑树地里得到一个婴儿，取名叫伊尹。伊尹长大后有贤才，商汤王准备聘请他，但女子不肯。汤于是娶了这个女子，让伊尹以陪嫁奴隶的身份过去。后来，伊尹为宰相，把国家治理得很好。

④面墙：意指思路闭塞。

⑤错智：指西汉政治家晁错的多智。晁错在文帝时曾是太子家令，也就是主管太子府内庶务的官员，相当于总管，很有谋略，智谋，大家叫他为“智囊”。

⑥良筹：张良的高明策略。

⑦钟子听琴：俞伯牙擅长弹琴，钟子期善听琴。钟子期听伯牙鼓《高山流水》曲，于是成为好朋友。子期死，伯牙摔碎了琴，不再鼓，认为自己再也没有知音了。

⑧谪仙：李白。

⑨鹡（jí）：一种小鸟。

⑩七贤：晋代嵇康与阮籍、山涛、向秀、阮

咸、王戎、刘伶，号为竹林七贤。

⑪三友：以三种事物为友，如松、竹、梅；琴、酒、诗等。

⑫虎类狗：东汉马援在《戒兄子严敦书》中，告诫侄子严敦说，做人要学龙伯高，不要成为谨慎之士，所谓刻鹄不成尚类鹜；要学习豪侠好义的杜季良，不成为天下轻薄子，所谓画虎不成反类狗。

⑬蚁如牛：晋代的殷浩耳朵有毛病，听见床下的蚂蚁动，以为是牛斗之声。

⑭列辟：诸王侯。

⑮陈唱：南朝陈后主荒淫，修建结绮、临春、望仙阁等，时常与张丽华、江总、孔贵嫔等日夜游戏、歌唱。

⑯隋歌：隋炀帝夏夜宴游，放萤火虫照明，歌清夜之曲。

⑰空中事业麒麟阁：汉宣帝时，宣帝为了表彰功臣，将霍光、苏武等画在麒麟阁上，共十一人。

⑱地下文章鹦鹉洲：三国时的祢衡，因反对曹操，被排挤到荆州，后被杀害，他被害之处人们称之为鹦鹉洲。

十二侵

歌对曲，啸对吟。往古对来今。山头对水面，远浦对遥岑。勤三上①，惜寸阴。茂树对平林。卞和三献玉，杨震四知金②。青皇③风暖催芳草，白帝城高急暮砧。绣虎雕龙，才子窗前挥彩笔；描鸾刺凤，佳人帘下度金针。

登对眺，涉对临。瑞雪对甘霖。主欢对民乐，交浅对言深。耻三战④，乐七擒⑤。顾曲对知音。大车⑥行槛槛，驷马⑦骤骎骎。紫电青虹⑧腾剑气，高山流水识琴心。屈子怀君，极浦吟风悲泽畔；王郎忆友，扁舟卧雪访山阴⑨。

【注释】

①三上：善读者有“三上”之功，即枕上、途上、厕上。

②杨震四知金：汉代杨震为青州刺史，他举荐秀才王密。王密晚上怀里揣着金子来拜谒杨震，以表示酬谢。杨震生气地说：“我了解你，你还不了

解我吗？”王密说：“夜无人知。”杨震说：“天知，地知，子知，我知，怎么能说无人知？”当即拒绝了。

③青皇：春天。

④三战：传说春秋时鲁国将军曹刿，与齐交战，曾败三次。后来齐桓公和鲁庄公结盟，曹刿以匕首胁迫齐桓公，要回了失去的国土。

⑤七擒：孔明征南蛮，曾对其首领孟获七擒七纵，孟获深受感动，最后归顺。

⑥大车：上古载重的大牛车。

⑦驷马：上古一车四马。

⑧紫电青虹：形容宝剑的光华。

⑨王郎忆友，扁舟卧雪访山阴：晋代王子猷雪夜访山阴戴逵，走到半途就回去了，人问他为什么，王回答说：“吾本乘兴而来，兴尽而返，何必见戴。”

十三覃

宫对阙，座对龛[1]。水北对天南。蜃楼对蚁郡，伟论对高谈。遴杞梓[2]，树楩楠[3]。得一对函三。八宝珊瑚枕，双珠玳瑁簪[4]。萧王[5]待士心惟赤，卢相[6]欺君面独蓝。贾岛诗狂，手拟敲门行处想[7]；张颠草圣，头能濡墨写时酣[8]。

闻对见，解对谙[9]。三橘对双柑。黄童对白叟，静女对奇男。秋七七[10]，径三三[11]。海色对山岚。鸾声何哕哕，虎视正眈眈。仪封疆吏知尼父[12]，函谷关人识老聃[13]。江相归池，止水自盟真是止[14]；吴公作宰，贪泉虽饮亦何贪[15]。

【注释】

①龛（kān）：佛舍。

②遴（lín）杞梓：喻谨慎选择优秀人才。

③树楩（pián）楠：喻培养人才。

④双珠玳瑁簪：汉乐府《有所思》中的一句。

⑤萧王：汉光武帝初时，曾被更始帝刘玄封为萧王。

⑥卢相：唐代宗时卢杞为宰相。

⑦贾岛诗狂，手拟敲门行处想：唐代诗人贾岛，有一次在驴背上得“鸟宿池边树，僧敲月下门”两句诗，开始用“推”字，后改“敲”。他不确定这两个字哪个更好，于是一边走一边做推敲的动作，不觉冲撞了京兆尹韩愈。韩愈问明原因后，认为“敲”字好。

⑧张颠草圣，头能濡墨写时酣：唐代的书法家张旭，擅长草书，喜好喝酒，每次都喝得大醉。喝醉后乱叫快走，或者把墨水浇到头上，然后写字，人称“张颠”。

⑨谙（ān）：了解。

⑩秋七七：指杜鹃花。

⑪径三三：指菊花。

⑫仪封疆吏知尼父：孔子到卫国去，仪邑主管边境的“封人”求见孔子。见过孔子后，他对孔子的学生说：“你们不要为流亡而苦恼，上天将让孔子制礼作乐。”

⑬函谷关人识老聃：传说函谷关的令尹擅长观看天文。有一次他登楼四望，发现东方出现了紫色云气，高兴地说：“一定有圣人要经过此地。”后来老子骑青牛过关。

⑭江相归池，止水自盟真是止：南宋末年，江万里为宰相，他听说元军已经攻破襄樊，就在自家后园凿个池塘，取名叫“止水”。后来元军攻破至城，万里投池自杀。

⑮吴公作宰，贪泉虽饮亦何贪：晋代吴隐很清廉，他到广州做刺史。州城附近有个泉叫“贪泉”，人们说，谁喝了泉里的水，就会变得很贪心。吴隐故意喝了贪泉水，还作诗一首说：“古人云此水，一歃怀千金。试使夷齐饮，终当不易心。”

十四盐

宽对猛[1]，冷对炎。清直对尊严。云头对雨脚，鹤发对龙髯。风台[2]谏，肃堂[3]廉。保泰[4]对鸣谦[5]，五湖归范蠡[6]，三径隐陶潜。一剑成功堪佩印[7]，百钱满卦便垂帘[8]。浊酒停杯，容我半酣愁际饮；好花傍座，看他微笑悟时拈。

连对断，减对添。淡泊对安恬，回头对极目，水底对山尖。腰袅袅，手纤纤。凤卜对鸾占。开田多种粟，煮海尽成盐。居同九世张公艺[9]，恩给千人范仲淹[10]。箫弄凤来，秦女有缘能跨羽；鼎成龙去，轩臣无计得攀髯[11]。

人对己，爱对嫌。举止对观瞻。四知对三语[12]，义正对辞严。勤雪案，课风檐。漏箭对书笺。文繁归獭祭[13]，体艳别香奁。昨夜题诗更一字[14]，早春来燕卷重帘。诗以史名，愁里悲歌怀杜甫；笔经人索，梦中显晦老江淹[15]。

【注释】

①宽对猛：仁厚对严厉。

②风台：古代谏官居住的官署。

③肃堂：官署。

④保泰：意为保持安康。

⑤鸣谦：以谦虚为人所知。

⑥范蠡：春秋末著名的政治家、商人。

⑦一剑成功堪佩印：战国时代的苏秦曾经佩剑而游说六国，后来成为纵约长，佩六国相印。

⑧百钱满卦便垂帘：汉代的严君平隐居成都，以卖卜生活。每天他只要挣够一百钱就不再卖了，闭户垂帘教授《老子》。

⑨居同九世张公艺：唐代的张公艺，九世同居。高宗祭祀泰山时，到了他家，问他如何能做到这点。张公艺写了一百个“忍”字来回答。

⑩恩给千人范仲淹：宋代的范仲淹当官后，在姑苏城外买了千亩良田，建立“义庄”，用来收养贫困的亲族。

⑪鼎成龙去，轩臣无计得攀髯：传说黄帝轩辕氏铸造鼎成功，这时龙降临了，黄帝乘龙而去。他的大臣也想扯龙髯跟着上天，结果龙须断了。

⑫三语：一次王戎向阮瞻请教老子、孔子之道。阮瞻回答说：“它们都差不多。”王戎听了很满意，就聘请他当椽（署员），人称为“三语椽”。

⑬文繁归獭祭：早春刚刚解冻的时候，水獭喜欢把鱼衔出水面，排在冰上，古人认为这是獭在祭祀，称为獭祭鱼。唐代诗人李商隐经常把翻阅的书排在一旁，就像獭排列鱼一样，人也称他獭祭鱼。

⑭昨夜题诗更一字：唐代僧人齐己作《早梅》诗，“前村深雪里，昨夜数枝开”。许丁卯见后，改为“昨夜一枝开”，人称“一字师”。

⑮笔经人索，梦中显晦老江淹：江淹曾经在梦中得到一老丈送的五色笔。几十年后，又梦见那个老丈，说自己是郭璞，对江淹说，我有一支笔在你那里很多年了，现在可以归还给我了。江淹于是从怀里掏了一支五色笔给他。从此以后，江淹文思枯竭了。

十五咸

栽对植，薤[1]对芟[2]。二伯[3]对三监[4]。朝臣对国老，职事对官衔。鹿麌麌[5]，兔毚毚[6]。启牍对开缄[7]。绿杨莺睍睆[8]，红杏燕呢喃。半篱白酒娱陶令，一枕黄粱度吕岩。九夏炎飙，长日风亭留客骑；三冬寒冽，漫天雪浪驻征帆。

梧对杞，柏对杉。夏濩对韶咸。涧瀍对溱洧[9]，巩洛[10]对崤函[11]。藏书洞[12]，避诏岩[13]。脱俗对超凡。贤人羞献媚，正士嫉工谗。霸越谋臣推少伯[14]，佐唐藩将重浑瑊[15]。邺下狂生，羯鼓三挝羞锦袄[16]；江州司马，琵琶一曲湿青衫[17]。

袍对笏，履对衫。匹马对孤帆。琢磨对雕镂，刻划对镌镵[18]。星北拱，日西衔。卮漏对鼎镵。江边生桂若，海外树都咸。但得恢恢存利刃[19]，何须咄咄达空函[20]。彩凤知音，乐典后夔须九奏；金人守口，圣如尼父亦三缄。

【注释】

①薙（tì）：除去野草。

②芟（shān）：割草。

③二伯：西周时主掌国事的两个大臣。

④三监：武王派自己的三个弟弟管叔、蔡叔和霍叔监督纣王之子武庚，称三监。

⑤鹿麌麌（yǔ）：鹿成群结队的样子。

⑥兔毚毚（chán）：兔跳动的样子。

⑦启牍、开缄：都是拆开信件的意思。

⑧睍睆（xiàn huǎn）：莺啼的声音。

⑨涧瀍（chán）对溱洧（wěi）：涧、瀍、溱、洧，古代四条河流。

⑩巩洛：经过巩的洛水。

⑪崤（xiáo）函：在崤山的函谷关。

⑫藏书洞：相传，四川酉阳县翠屏山麓的小酉山石穴中，藏有上千卷书。

⑬避诏岩：汉初“四皓”曾隐居在商山，他们居住的岩洞为“避诏岩”。

⑭少伯：越国大夫范蠡。

⑮浑瑊（jiān）：唐代著名少数民族的将领。

⑯邺下狂生，羯鼓三挝羞锦袄：狂生指祢衡。

相传，曹操打算羞辱祢衡，叫他击鼓给客人助兴。祢衡不但不害怕，还脱掉衣服，敲起昂扬的《渔阳三挝》，回敬曹操。

⑰江州司马，琵琶一曲湿青衫：唐代诗人白居易曾经被贬为江州司马，一次到浔阳江边送客，碰到一位嫁作商人妇的琵琶女。此女为他弹奏琵琶曲，引起了他强烈的共鸣，他因此而流泪不止。

⑱镌镵（juān chán）：刻削，雕凿。

⑲但得恢恢存利刃：宋国有个庖丁，很擅长解剖牛。他的刀用了十九年，剖过数千头牛，但还像新磨的一样。他说，这是因为牛的关节之间有缝隙，而刀刃很薄。薄薄的刀刃通过有缝隙的关节，自然游刃有余。

⑳何须咄咄达空函：晋代的殷浩得知桓温将推荐他做尚书令，很是高兴，准备写一封信表示感谢。但他非常担心信中言语不周到，于是不断地把信取出修改，又放进。如此几十次，结果却把空信封寄了出去。